KB096270

흐린날의 달리기

머리말

말라비틀어진 꽃도 꽃일까, 그런 생각을 해본 적이 있다. 지금은 저래도 처음에는 촉촉하게 물을 머금고 햇살에 반짝일 때가 있었겠지, 하면 조금은 덜 안쓰러웠다.

여기 실린 단편들은 필자의 전작 소설집처럼 카카오 브런치 스토리에 게재했던 글들을 추린 것이며 앞으로도 이 시리즈는 계속 될 것이다.

사랑과 돈을 맞바꾸는 못 미더운 연인이 있는가 하면 이별을 감지하고도 찾아 나서는 순애보도 존재한다. 이런저런 많은 이야기 속에서 한편만이라도 독자의 가슴에 남는다면 필자로서는 영광으로 남을 것이다.

지은이

박순영

방송작가/소설가/1인출판 <로맹>대표

소설집 <응언의사랑><엑셀><페이크>

사회심리서<재혼하면 행복할까>(개정판, 공저)

예술 에세이 <낭만주의는 페시미즘이다>

독서 에세이 <연애보다 서툰 나의 독서 일기>

영화 에세이 <영화에세이>

한국외대 영어과 졸업/성균관대 대학원 비교문화전공 문화학 석사

차례

흐린날의 달리기 7
모든 걸 기억하진 않는다 20
별이 빛나던 밤 그들은 28
그들이 재회한 방식 37
내가 죽인 남자 49
피안의 사랑 58
겨울에 부르는 이별 노래 65
철없는 사랑 73
꿈이었어라 84
그가 죽인 여자 93
드라이 플라워 106
휴지기 120
동행 132
어떤 재회 140
다짐 149
겨울집 157
언젠가 우리는 165

파리의 연인 177
경멸 190
처음 그날처럼 202

<흐린날의 달리기>

성준은 지금 우체국이라며 w시에 보낼 책을 박스 포장중이라고 답문을 보내온다. 향미는 순간 여자에게 가는 책일 것이라고 짐작한다. 언제부턴가 그는 거들떠도 보지 않던 니체며 까뮈책을 찾아댔고 해서 향미가 인터넷 온라인 서점에서 몇권을 보내준적이 있다. 그러더니 갑자기 w시에 내려가야 한다며 이번에는 오래 걸릴거라 했다.

향미는 그가 또 w시의 역사와 관련된 강연을 하러 가려니 했지만 나중에 알고보니 딱히 그것도 아니었다. 그는 향미 옆에서 누군가와 열심히 메시지를 주고받으며 긴장을 하는가 하면 실망을 하고 그럴 때면 향미에게 곧잘 거칠어지곤 하였다.

처음에는 그의 강퍅한 성격 탓으로 돌렸지만 그렇게 단순히 보아넘길 사안이 아니라는 생각이 들기 시작했고 w시에 다녀온 지 보름도 안돼 다시 내려

가봐야 한다고 해서 향미는 그에게 그 이유를 따져 물었고 그러자 성준은 남의 사생활에 참견 말라며 그런 그녀를 무시해버려 둘은 헤어졌다.

그러나 한 달도 안돼 성준은 다시 메시지를 보내왔고, 둘이 헤어졌다 다시 붙는 거야 늘 해온 짓이라 그러려니 했다. 그러고는 한동안 향미에게 잘 해주는가 싶더니 얼마전부터 또다시 w시 타령을 하며 이번에는 벤야민과 하이데거 책이 필요하다는 이야기를 했다.

"자기가 좀 사봐"
"야, 작가가 무슨 돈이 있어. 좀 보내주라"
그는 늘 그런 식이었다... 교양 프로 작가 일도 그만 뒀고 이제는 중고생 과외로 근근이 버티는 향미에게 책으로 수십만 원을 쓸 여력이 없었지만 어차피 결혼하게 되면 자기 책도 된다는 생각에 그녀는 이번에도 그의 청을 들어주었다.
그리고는 며칠 동안 연락 없이 잠잠해서 향미가 메시지를 보내자 이제는 w시에 보낼 책을 포장하고 있다는 것이다.

이건 아무래도 여자문제라는 결론에 이르렀고 이번뿐만 아니라 예전에도 그는 늘 여자문제로 향미의 속을 긁곤 했던 기억이 난다. 하지만 이번에는 잠시 불고가는 바람이 아니라고 생각돼 그녀는 어느날 자기 방에서 잠에 골아떨이진 성준의 휴대폰을 열어보았다. 몇번의 시도끝에 잠금장치는 풀렸고 메시지창에는 수많은 여자들이 떠있었다.

과연 이중의 누굴까 하다가 나이 서른 정도의 여자 하나를 클릭했더니 이런 대화가 오갔다.

"시지프스를 여태 안 읽는 게 어딨어 . 빨리 읽어봐"

"시지프스? 그게 뭔데?"

"자기 작가 아냐? 그런데 여태 까뮈를 몰라?"

이런식이었다. 그래서 지난번 까뮈를 그리도 급하게 사달라고 한 거였구나 하니 향미는 그책을 사준 자기가 바보라는 생각이 들었다.

그때 성준이 몸을 뒤척이다 눈을 떴고 자기의 휴대

전화를 향미가 본걸 알고는 불같이 화를 냈다. 여자 문제를 알면서도 속앓이만 하던 예전의 향미가 더 이상 아닌 걸 알고 그는 잠시 주춤하는가 싶더니 " 야 너만 보고 살아야 해?"라며 휴대폰을 낚아채 밖으로 나가버렸다.

10층에서 내려다보는 눈 내리는 한겨울의 아파트 단지는 스산하기 이를데 없다. 그래도 밤새 내린 눈은 많이 잦아들어 이제는 흩날리는 정도였다. 그 가운데 우두커니 서서 담배를 태우는 성준을 부감으로 내려다보자니 향미는 그깟 정신적 외도 정도가 뭐가 대수랴 하는 생각에 그를 몰아댄 것이 미안해지기 시작했다. 보아하니 그 여자와 '깊은 관계'도 아닌 것 같고 서로 책 이야기며 철학 이야기를 하는 정돈데 그걸로 트집을 잡는다는 것도 우스웠다. 해서 향미는 식탁 의자에 걸쳐진 성준의 점퍼를 들고 아래로 내려가 그의 등을 덮어준다. 그러자 성준은 피우던 담배를 눌러 끄고 돌아서며 ,미안해,라고 작게 속삭였다. 그러지 않겠다고...

그러던 어느날 성준은 지금 급히 공동작업에 들어갈 글이 있다며 전처럼 자주 향미를 찾지는 못할것 같다는 메시지를 보내온다. 순간 그 공동필자가 '그녀'라는 직감이 들어 그날 향미는 과외가 끝나고 오는 길에 소주를 진탕 마시고 그의 방으로 쳐들어가 다시피 했다. 밤늦게 향미가 그것도 술에 취해 찾아온 것은 처음이라 성준도 적잖이 당황하는 눈치였고 향미는 다 끝내자며 그의 가재도구를 마구 부수고 던져대기 시작하였다. 성준은 취했으니 일단 자라며 그녀를 강제로 침대에 눕히고는 침실문을 밖에서 잠그기까지 하였다.

다음날 아침 심한 메슥거림에 눈을 뜬 향미는 문을 열어달라고 밖의 성준에게 애원하였고 그는 다시는 그러지 않겠다는 다짐을 받고는 문을 열었고 그녀는 그길로 화장실로 향해 지난밤 먹은 걸 모조리 게워냈다.

"니가 정 힘들면 그만 둘게 공동작업"

향미는 의외로 그가 쉽게 굴복한다는 느낌에 오히려 미덥지가 않았다.

"정말 공동작가 그 이상은 아닌 관계야"라며 그는 토사물 잔해가 묻은 향미의 입가를 물로 닦아주며 달랬다. 더 따진다고 당장 해결이 날것도 아니고 해서 그 일은 그렇게 마무리되었다.

"내일 집에 올래? 당신 좋아하는 아구찜도 같이 먹고 "

다음날은 향미가 과외가 없는 날이기도 해서 그에게 오라고 했다. 아구찜이라면 언젠가 둘이 w시에 내려가 저녁으로 함께 먹은 기억이 있다. 어릴적 목에 생선 가시가 걸려 생선 자체를 싫어한 그녀인지라 아구찜은 거의 성준의 차지로 돌아갔지만 "맛있다"를 연발하면서 흡입하듯 먹어대던 그의 모습은 안쓰럽기까지 하였다.

아구찜이라는 말에 성준은 상기되는 눈치다.

다음날 성준은 정오 무렵 향미네 도어락을 누르고 집안으로 들어선다. 그러고 보니 성준이 오랫만에 왔다는 생각이 든다. 검은 캐주얼 셔츠에 진바지를 입은 그의 모습이 유명 셀럽을 연상시켜 향미는 쿡, 하고 웃었다.

"왜 웃어?"

"아니. 귀여워서"

"이게...."

그렇게 둘은 토닥거리다 곧바로 단지 근처 새로 생긴 식당으로 향했다. 이제 막 손님들이 몰려나갔는지 직원들은 저마다 흐트러진 테이블을 정리하기 바빴다. 그중 구석자리를 잡아 향미와 성준은 마주보고 앉는다.

"그래서 책은 잘 받았대?"

주문한 아구찜이 나와 향미가 한점 떼어물며 물었다.

"응 ? 아...친구가 필요하다고 해서 보낸거야. 지금은 절판돼서 내 거 보내준 거야."

"그러다 자기가 필요하면 어쩔라구"

그말에 성준은 대답을 않는다. 책이라면 끔찍히 아끼고 찾고 모아대는 그가 희귀서적을 덜커덕 보낼 정도면 상대가 여자임이 분명하다...그 순간 향미의 목에 예리한 통증이 느껴진다. 가시....

순간 향미는 앞이 노래지는 느낌을 받는다. 어릴 때 향미의 목에 걸린 가시를 없앤다고 향미 엄마는 밥을 한움큼 삼키게 했고 물을 한 대접을 먹였지만 그 통증은 가시질 않았다. 그때만 해도 그정도 일로 병원을 찾는다는 인식이 없던 때라 향미는 몇 날 며칠 그 상태로 지냈다. 그러다 한참 시간이 흐른후, 더이상 목이 아프지 않다는 걸 느꼈고 안도를 했지만 이후로 생선이라면 손사래를 쳤다.

특히 아구찜은 온통 가시 투성이 아닌가. 아구찜이라면 속된말로 환장을 하는 성준과 자신은 이런 면에서도 악연이라는 생각이 스친다..

"우리 결혼, 안해?"

아구찜을 흡입하느라 정신없는 성준에게 그녀가 결혼이야기를 불쑥 꺼낸다.

"뭐?"

그가 놀란 토끼눈을 하며 그녀를 예리하게 쳐다본다. 같이 살자는 이야기는 몇 번 오갔지만 정작 결혼이란 단어는 처음 듣는 터라 성준은 황망해 하는 눈치다.

"내 형편이 지금"

"그거 다 핑계 아냐? 뭐하면 지금 내 집에서 지내도 되고..."

"그래도 내 벌이가 있어야..."

"싫음 관둬"

라고 그녀는 들으라는듯 켁켁 댔다. 잔가시일수록 통증이 예리하다는 걸 그녀는 잘 알고 있다. 그리고는 성준에게서 어떤 대답이 나올지를 두고 보겠다는 포즈를 취한다. 그러자 성준은 젓가락을 내려놓더니 물을 벌컥 벌컥 들이킨다. 그리고나서는 몰골이 엉망이 된 아구찜을 한참을 들여다 본다.

"결혼 같은 거 생각도 안해본 거지?"

향미가 체념하는 투로 말하자 성준은 그제서야 그녀를 정면으로 응시한다.

"나랑 살 자신 있어?"

"몰라..."

"그러면서 결혼은.."

향미도 자신이 왜 갑자기 결혼이야기를 꺼냈는지 알수가 없다. 여자문제, 그의 가부장적 태도, 심한 변덕에 질려 이미 처음 성준에게 가졌던 뜨거운 열정따위는 없어진 지 오래인데도 왠지 결혼이란걸 한다면 이 남자와 해야겠다는 이 모순된 감정의 기원을 알수가 없다.

"그래, 우리 그냥 지내자 지금처럼"

"싫어"

성준의 의외의 대답에 그녀는 의아한 표정이 된다.

"나중에 다시 이야기하자" 하고 성준은 자리에서 일어나 서둘러 계산대로 간다.

"내가 사주기로 했잖아 "하면서 향미가 지갑에서 카드를 꺼내려 했지만 성준은 그런 그녀를 제지하고 꼬깃꼬깃한 현금으로 그 비싼 아구찜을 계산한다. 그의 그런 뒷모습을 보면서 향미는 괜히 결혼이야기로 이 남자 마음을 다치게, 무겁게 했다는 생각이 들었다.

그렇게 식당을 나와서도 둘은 일정 거리를 두고 걸었다. 계속 목이 아파서 켁켁대는 향미를 성준은 힐끔힐끔 쳐다본다.

"병원 갈래?"

"좀 있어봐...옛날에도 이러다 내려갔어"

"바보..."하면서 성준이 슬며시 그녀의 손을 잡아온다. 오랫동안 그와 연애라는 걸 하면서 한 번도 그가 먼저 손을 잡아준 적이 없다는 생각이 그녀를 스친다...그런데 하필 이런 어색한 순간에...

그녀의 손을 쥔 성준의 손에 힘이 들어가는 걸 느낀다.

"구리반지도 괜찮은 거지?"

난데없이 그가 그렇게 물어 온다.

"반지?"

하는데 순간 그녀의 눈에서 눈물이 쏟아져내린다.

"미안해...당신 의심했어"

"내가 잠깐씩 흔들린건 인정해. 하지만 결혼이란 걸 해야 한다면"

"그건 나라구 생각한 거야? 정말이야?"

"응"

그 순간 향미는 행인들의 시선도 아랑곳없이 그의 가슴을 파고든다.

"야, 길거리에서 이럼 어떡해"라고 성준이 타박하

지만 향미는 더 이상 타인의 눈길 따위는 아무 상관이 없다는 태도다.

그렇게 둘은 한참 서로를 안은 채 서 있다 눈에 들어오는 보석상으로 들어 간다.

쇠락한 동네에나 있을법한 그런 보석상이다. 시트가 다 찢어진 간이 소파며 수십 년 전에나 팔렸음직한 조악한 플라스틱 시계며 뻐꾸기 시대가 떡하니 자리 한....

"결혼인가요, 약혼인가요"

라며 초로의 주인이 둘에게 물어온다.

성준은 대답 않고 유리 케이스 안에 진열된 반지들을 바라보다 하나를 가리키며 어떻냐는 눈빛을 향미에게 보낸다. 향미는 대답 대신 고개를 끄덕이는데 순간 목이 자유로워지는 걸 느낀다. 그새 가시가 내려 갔나...

"딱 맞네 . 조절할 필요도 없겠어"라며 주인은 성준이 고른 반지를 그대로 케이스에 담는다.

가게를 나서는데 곧 비를 몰고 올 훈풍이 몰려 온

다.

"뛸까?"

"응"

그렇게 향미는 반지가 끼워진 자신의 왼손으로 성준의 오른손을 잡고 집을 향해 뛰기 시작한다.

<모든 걸 기억하진 않는다>

우리도 <냉정과 열정사이>한번 써보자던 동수와 함께 나눠 썼던 글들이 이제 보니 가영의 문서 서랍에 저장돼 있다. 그는 잊지 못해 애면글면했음에도 이 글은 어떻게 그렇게 까맣게 잊고 지냈을까?

동수와 헤어진 지 벌써 3년이다. 이따금 포털을 통해 그의 근황을 알고 있었지만 가영쪽에선 한번도 연락을 한 적이 없었다. 대신 동수는 이따금 술에 취한다든가 하면 한밤이나 새벽에 전화를 해서는 '야, 너 잘 사냐?'라고 비아냥대거나 아니면 숨소리만 내다 끊고는 하였다.

그와의 이별이 너무 힘들어서 가영은 다시는 남자나 연애 따위는 생각 않겠다고 결심하고 파리 유학에 올랐고 박사를 받고 모교에서 강의를 시작했다. 파리에서는 정말 공부에만 매달렸고 한국을 떠났다는 것만으로도 동수와의 거리감은 배로 불어났다. 그러나 이따금 걸려오는 그의 전화에 그녀가 전혀 흔들리지 않았다고 하면 거짓말이리라...

이미 서로의 손을 놓아놓고도 혹시나 서로가 다른 이라도 만나면 어쩌나 하는 불안감에 시달린 것도 사실이다

눈이 내리는 대학 교정은 쓸쓸함 그 자체다. 방학을 해서 교정은 텅빈 거 같고 궂은 날씨에 도서관도 썰렁하다. 아직 자신의 연구실이 없는 가영은 예전에 자주 찾던 도서관 3층에 자리를 잡고 의뢰 들어온 모디아노의 신간 번역을 시작한다. 모디아노를 주제로 파리에서 박사를 받았기에 출판사에서 번역의뢰가 들어왔을 때 그녀는 반갑기까지 하였다.

모디아노의 글은 번역도, 읽기도 만만치가 않다. 시공간을 마구잡이로 오가는 그의 '기억' 모티브 때문에 번역하기 이해하기 난해한 작가로도 유명하다. 가영은 한줄 한줄 단어 하나하나를 세심히 분석하고 이어가며 번역에 심혈을 기울인다.

그렇게 한참 시간이 흐른 후 군은 몸을 풀기 위해 잠시 창밖을 보자 밖은 이미 어둠이 내리고 있다..

동수와 헤어지던 그날 밤 같기만 하다. 눈 그친 뒤의 황량한 냉기로 가득한.

며칠 전 문서 서랍에서 그와 공동으로 쓰던 그 작품을 본 뒤로 그녀는 뒤숭숭해졌고 그가 너무도 보고 싶었지만 가까스로 참았다.

그녀는 폐관시간이 다 돼서 도서관을 나와 주차돼 있는 자신의 차로 간다. 시동을 걸자 잠시 후에 차는 따스하게 덥혀진다. 그러자 나른한 졸음이 몰려온다....

그 글을 마저 쓸까? 라는 생각이 퍼뜩 든다. 하지만 애초부터 한챕터씩 번갈아 쓰기로 했었고 그렇게 구성된 책이기에 쉽지가 않을것 같고 이미 반 이상을 공동으로 작업한 걸 싹 다 날리고 다시 혼자 쓴다는 것도 할 짓이 못 된다는 생각이 든다. 그럼에도 그녀는 책을 완성하고 싶다...

동수는 자다 전화를 받았는지 목소리가 잠겨있다. 3년이란 둘의 공백기 따위는 전혀 신경 쓰지 않는 눈치다.

"우리, 좀 봤음 해... 할 얘기가 있어"

밤새 눈이 내린 어느 날 밤, 그녀는 거의 충동적으로 그에게 전화를 걸었고 그 다음 날 대학로에서 만나기로 약속을 잡았다.

그렇게 둘은 3년만에 눈 내리는 대학가에서 재회했다.

"우리, 그 책 마저 쓰면 어때?"라는 가영의 제안에 동수는 영문을 몰라하는 눈치다. 이미 잊어버린 것이다 책 따위는.

"있잖아. 우리 헤어지기 전에 같이 썼던"

"아, 그거...까맣게 잊고 있었네"라며 그가 후, 하고 한숨을 내쉰다 3년 전을 반추하기라도 하듯이. 그러더니 물끄러미 그녀를 바라보다 잠깐만, 하고는 자리에서 일어나 까페 밖으로 나간다. 아마 담배를 피우러 나갔으리라.

담배 때문에 심장이 망가져 응급실에 실려 가 놓고도 그는 담배를 끊지 못했다. 그렇게 한 10여 분쯤 흐른 뒤 그가 담배 냄새를 풍기며 다시 자기 자리에 와서 앉는다.

"우리, 결혼할래?"라는 그의 말에 가영은 뭐라 답할 말이 없다. 그녀는 거기까지는 생각해보지 않았다. 아니, 결혼하려고 했었지만 이미 틀어지지 않았는가. 그렇게 3년을 안 보고 지내다 불쑥 결혼을 하자는 그의 말이 너무나 비현실적으로 들린다. 이럴 땐 솔직하게 이야기하는 게 좋다는 판단이 서서 그녀는 자신의 마음을 그대로 표현한다.

"일단 책 완성하고 그러고 나서도 그 마음이 변하지 않으면"이라는 말에 동수는 가타부타 대답을 않고 창밖 황량한 풍경으로 눈을 돌린다.

그렇게 둘은 한 달여를 온라인으로 때로는 오프라인에서 만나서 글쓰기를 이어나갔다. 그러다 보니 마지막 챕터만 남았다.

"이젠 대답해줄래? 책도 거의 다 썼는데?"라면서 동수가 물어 온다.

"날, 여태 사랑하긴 해?"라는 가영의 질문에 동수가 픽 웃는다.

"새 사람 만나서 밀당하고 서로 적응하고 그러는 게 솔직히 귀찮다"라고 동수가 그 나름 솔직하게 대답한다. 그 말에 가영은 곰곰 생각에 빠진다.

"미안. 나 책 포기할래"

그 말에 동수의 눈이 휘둥그레진다. 그러더니 발끈해서 "너 장난해?"라며 소리를 친다.

예전의 그로 다시 돌아간 동수를 보면서 가영은 자신들은 역시 헤어져 있는게 낫다는 생각이 든다. 완전히 끊어지지는 않더라도 함께 하기에는 서로가 너무도 버거운 존재들이라는 생각이 든다.

서로 지지 않겠다고 악다구니를 쓰던 3년 전 그날 밤이 떠오른다. 그러다 동수는 그녀의 뺨을 후려쳤고 그녀는 그대로 오피스텔 바닥에 쓰러졌다. 그런 그녀를 동수는 발로 걷어차기까지 하였다. 그리고는 그녀가 깨어났을 때는 응급실이었다. 미안하다며 자신의 링거 꽂은 손을 잡아 오던 동수의 손을 그녀는 매몰차게 뿌리치고 링거를 빼버리고는 병원을 뛰쳐나와 달려오는 택시에 몸을 실었다. 둘이 이별하던 풍경이 그랬다...그녀가 애써 파묻어둔 기억의 한 조각.

그에게 맞았다는 사실을 그녀는 잊을 수가 없었다. 그래서 그에게 3년간 연락 한번 하지 못한 걸지도 모른다.

결국 둘의 공동작업은 미완으로 끝이 났지만 책은 나왔다. 마지막 가영의 챕터를 동수가 가영이 쓴 것처럼 해서 출간을 한 것이다.

"인세 반반하자"라는 그의 말에 그녀는 아무 대답도 하지 않았다. 그러는 사이 봄이 가고 여름이 오도록 인세는 한 푼도 입금되지 않았다.

"일단 내가 다 받아서 나누는 걸로 하자"라는 동수의 말에 그녀가 침묵으로 응대한 게 이런 빌미를 준 건 아닐까 하는 생각이 든다. 그리고는 다음날 있을 모디아노 강의 준비를 하느라 파워포인트를 제작하던 그녀가 잠시 숨을 돌리느라 인터넷 서치를 하던 도중 동수의 기사를 보게 된다.

"실은 헤어진 여친 생각하면서 '냉정과 열정사이'처럼 교차 쓰기 한 것처럼 써본 겁니다...그녀 파트를 쓸 때는 울기도 많이 울었어요"라며 잔뜩 수심 어린 표정을 짓고 있는 동수의 사진을 보며 그녀는 컴퓨터 액정에 퉤,하고 침을 뱉는다. 기사는 '연말에 드라마화 예정'으로 갈무리되고 있다.

바람에 창이 덜컹인다... 장마가 오려는지 공기가 텁텁하다.

<별이 빛나던 밤 그들은>

온유는 그를 다시 믿어도 되는 걸까, 의구심이 든다. 지난번 이별의 파장이 너무 깊어 그녀는 거의 폐인처럼 지내야 했기 때문이다. 그런 그녀의 마음을 간파했는지 익현은 그녀의 마음을 붙잡기 위해 애를 쓰는 게 엿보인다.

"요즘 몸이 너무 안 좋아"라는 대목에서 그녀는 뭉클해온다. 아직 이 사랑이 남아 있구나...

"나 또다시 상처받기 싫어"

"내가 잘할게"라며 그는 당장 만나자고 하였다

그렇게 둘은 홍대 입구 자주 가던 까페에서 만나기로 하였다. 온유는 조금은 철 이른 봄 옷을 꺼내 입고 화장도 정성들여 한다. 6개월 만의 만남이니 아무래도 신경을 쓴 티를 내는 게 상대에 대한 예의라고 생각한다.

그리고는 주말이어서 대중교통이 낫다고 판단하고

지하철역으로 향한다. 이번에 만나면 다짐을 받아두리라..

까페엔 익현이 먼저 나와 있다. 그도 온유처럼 신경 쓴 차림이다.

온유가 그의 자리로 가자 익현은 얼른 일어나 그녀의 의자를 빼준다.

"그냥 하던대로 해"라며 그녀가 말하자 "내가 언제는 안 했니?"라며 그가 헤벌쭉 웃는다.

그러나 막상 마주 하자 지난 6개월의 공백이 여실히 느껴져 둘은 데면데면해 한다.

"우리 여행 갈까?“

그가 장고 끝에 내뱉은 첫마디가 '여행'이었다.

그런 그를 온유는 물끄러미 쳐다본다.

"회산 잘 돼?“

익현은 다니던 회사를 그만두고 자신의 웨딩 관련 사업을 시작했다. 헤어질 무렵에 회사를 차려 자금 문제로 둘은 옥신각신 하다 그게 번져 서로의 인신

공격으로 확대돼 결국 헤어진 것이다.

"좀 아팠다"는 그의 말에 그녀는 작년 이맘때 그가 갑자기 쓰러져 응급실로 실려 간 기억이 난다. 한밤에 토하고 복수까지 차오르고 몸을 가누지 못했고 병명은 '급성 간염'이었다. 그래서 온유가 밤 새 병상을 지켰다.

"술먹는 건 아니지?"

"내가 알아서 해"라며 그가 퉁명스레 대답한다.

"어디 봐"라며 그는 예전에 자기가 준 반지를 보여달라는 시늉을 한다. 안 그래도 그와 헤어진 뒤 온유는 그 반지를 빼놨다가 그의 연락을 받고 다시 그와 잘 해보기로 마음먹고 다시 끼고 나왔다.

그녀의 왼손 약지에서 그 반지를 확인한 그가 만족해하는 표정을 짓는다.

한사코 온유를 바래다 준다는 걸 거절하고 그녀는 '오늘은 혼자 갈게' 라며 택시에 오른다. 주말 저녁이라 거리는 오히려 더 한산해서 차는 막힘없이 달린다.

그렇게 집으로 가는 길에 온유는 한참만에 비로소

나른한 행복감과 안정감에 젖는다 . 정 그가 말을 안 꺼내면 자신이 하리라 결혼하자고. 언제까지 밀당만 하고 재보기만 할 거냐며 타박부터 하고는 결혼하자고 말해야겠다 생각한다.

그녀가 집에 도착해 현관을 들어서는데 익현이 메시지를 보내온다. 잘 자라고. 무뚝뚝해 보여도 세심한 구석이 있는 남자였지 ,그녀는 새삼 느낀다.

"우리 조만간..."이라고 그가 심각한 얼굴이 돼서 말을 꺼낸다.

지난번 만난 이후 일주일 후 둘은 다시 그 홍대 까페에서 마주했다.

이 남자가 드디어 결혼얘기를 꺼내는구나, 싶어 온유의 마음이 요동친다.

"우리 합치자"라고 익현이 그녀의 눈을 똑바로 보며 말을 한다.

"왜, 결혼하자고는 안 해?"그녀가 조금은 다그치듯 물어본다.

"결혼은 돈이 들잖아..."

"그냥 간단히 어른들 모시고"

"싫어 그렇게는. 하려면 제대로 해야지. 같이 살다가 돈좀 모이면 결혼식 정식으로 올리자"라며 그가 자기 손을 테이블 건너 내민다. 그 손을 물끄러미 보던 온유가 자기 손을 그 손 위에 얹는다 . 그러자 그가 그 손을 힘주어 잡는다. "나 이젠 상처받기 싫어"라며 온유가 나직이 말하자 그가 알았다는 듯이 고개를 끄덕인다.

pd 황은 거의 1년 만에 전화를 걸어와 10부작 미니시리즈를 하게 되었다며 온유에게 원고를 써달라고 말했다. 안 그래도 꽤 오래 방송일이 끊겨 온유는 리뷰를 비롯한 이런저런 잡문을 기고하며 생활해와서 생활비도 바닥이 날 즈음이라 그런 황의 전화는 구원처럼 느껴졌다. 그리고는 제일 먼저 이 소식을 익현에게 알려야겠다 생각해 전화를 걸자 익현은 '정말?'이라며 자기 일처럼 기뻐하였다. '잘 써 이번엔'이라며 제법 근엄하게 말을 하기까지 한다.

황과 만나 이야기의 얼개를 잡은 뒤 보름 후까지

1,2부 극본과 시놉시스를 보여주겠노라 약속하고 방송국을 나서는데 계절은 이미 봄으로 옮겨가 있다. 오가는 행인들은 겨울옷을 벗고 얇은 트렌치 코트나 점퍼 차림이었다. 봄꽃들이 금방이라도 봉오리를 터뜨리려고 준비하고 있는 게 보이자 온유는 괜히 서러워진다. 이럴 때 익현이 옆에 있었으면...그녀는 문득 그가 보고싶다.

"보름? 야, 너무하다. 방송 작가들이 무슨 귀신도 아니고 보름안에 어떻게 그 많은 걸 다 써?"

"쓰라면 써야지..."

"계약금이랑 받았어?" 라는 그의 말에 온유는 잠시 머뭇한다. 그러다, 아니겠지 설마, 하고는 그 대답은 하지 않는다.

그러자 그가 뵤루퉁해지면서 "내가 니 돈 쓸까봐? 안 그런다"라며 싱긋 웃는다.

이 남자가 변했다는 생각이 든다 . 온유는 미래 남편인 익현의 익숙한 얼굴을 마치 처음 보는 것처럼 한참 뜯어본다. 쌍커풀 없는 큰 눈에 적당히 높은 코, 그리고 야무져 보이는 입술. 새삼 그가 잘생긴 남자라고 생각한다. 그리고 약간의 무뚝뚝함과 필요한 말만 한다는 것도 일종의 '마초이즘'으로 그녀를 사로잡은 요소 중의 하나였음을 기억한다. 한마디로 듬직하고 신뢰가 가는 남자를 남편으로 갖게 되었다는 뿌듯함에 그녀는 안도하게 된다.

"저기..."하며 그가 스테이크를 썰다말고 힘들게 말을 꺼낸다.

"뭐?" 하고 온유가 천진한 얼굴로 묻는다.

"회사가 좀 그래...요즘 다 불경기잖아."라는 그의 말에 온유는 불길한 예감이 스치고 간다.

"돈은 안돼."라고 그녀가 딱 잘라 거절하자

"내가 돈 달랬어? 너한테 하소연도 못해?"라고 그가 발끈한다.

자기가 좀 오버했나 싶어 온유는 후회스럽다. 그날은 그 일이 빌미가 돼 서로가 데면데면하게 헤어졌다. .

그렇게 집에 돌아온 온유는 어떻게든 사과를 해야겠다는 마음에 글이 써지질 않는다. 한참을 액정 위에서 깜박이는 커저만 들여다보고 있는데 메일 알람이 들린다. 순간 익현의 것이라고 생각한다.

그는 심각한 얘기를 할 때는 메시지가 아닌 메일을 곧잘 쓰기 때문에 그녀는 조금은 불안하다. 그리고는 메일 창을 열었다.

"회사가 어려워...너 이번에 계약금 탔으면 좀 융통해줄래? 곧 갚을게"라며 그가 이메일을 보내왔다.

온유는 곧바로 답메일을 보낸다.

"미안. 돈 문제는 거론하지 않았음 해. 우리 그것 때문에 지난번에도 싸우고 헤어진 거잖아. 아직은 우리 합치거나 결혼한 것도 아니고."

그러자 그로부터 아무런 답장이 없다.

심란한 마음으로 온유가 겨우 1부 중간까지를 쓰고 새벽이 다 돼서 잠자리에 드는데 전화가 걸려온다. 익현이었다.

"내가 몸이 안 좋다"

"또 토하고 그래?"

" ..."

그러다 익현은 전화를 끊어버린다.

그바람에 잠이 다 깬 온유는 아무래도 당장 익현에

게 가봐야겠다는 생각에 옷을 주워입고 차 키를 집어 들고 밖으로 뛰쳐 나간다.

그녀가 익현의 집에 거의 다 왔을 때 쯤 메시지가 온다.

"몸이 이렇다보니 성 기능도 망가진 거 같아"라는.

차를 세우고 온유는 그 문장을 반복해서 읽어 본다.

그리고는 마지막 결심을 하고 물어 본다.

"날 사랑은 해?"

그 말에 익현은 대답을 하지 않는다.

"결혼이 꼭 섹스를 의미하는 건 아니잖아"라는 온유의 말에

"그래도 너 한창땐데...그거 없이 살 수 있어?"라는 답문이 온다.

익현이 원하는걸 정확히 알고나니 온유는 오히려 홀가분해진다. 그녀는 차를 돌려 오던 길을 되돌아간다.

그날따라 평소엔 안 보이던 별들이 촘촘히 하늘에 박혀있다.

<그들이 재회한 방식>

현경은 아무리 웹을 둘러보아도 신경정신과라는 이름의 의원들 대부분이 '정신'쪽에 치우쳐 있고 상담없이 약만 주지 않는다는걸 알고는 몇 날 며칠을 고민한다. 자신의 속을 털어놓기가 죽기만큼 싫은 것도 있지만 , 그 정신과 약이란게 일종의 허가받은 마약이라는데 끊을 수는 있는 건가,하고...

그녀는 정말 약만 타기를 원했고 그렇게 들어선 <의현 신경정신과>는 이상하리만치 사람이 없었다.포 털에 올려진 후기로는 대기시간만 2,3시간이라던데...하면서 그녀가 현관에서 우물거리는데 접수간호사가 다가온다.

"어떻게 오셨어요?"

"저..약좀 타러 왔는데요"

"아, 초진이세요?"라며 간호사는 문진표를 내민다.

이런 게 정말 싫지만 일단 한달치 만이라도 약이 시급해서 현경은 문진표에 열심히 체크를 해나간다.

어떤 문항은 보지도 않고 가운뎃 번호에 v자를 그린다 .

"근데 사람이 원래 없나요?" 현경이 불쑥 던진 질문에 간호사는 여태 밀렸다가 이제 겨우 여유가 났다고 답한다. 현경은 작성한 문진표를 간호사에게 내밀자 간호사는 ,벌써?라는 표정을 짓더니 잠시만요, 하더니 진료실로 들어 간다.

의현은 많아봐야 30 후반으로 보이는 젊은 의사였다. 현경은 포털에서 이미 원장이 젊다는 글을 보았고 그래서 또 온 것이다. 젊으면 그래도 말이 통할 것 같았다.

"잠을 못 주무신다고요?"

"네...근데 약국에서 주는 약은, "

"수면제 마구 사서 드심 안돼요. 일단 상담하시고, 수면장애 원인을"

"선생님, 죄송한데 약만 주세요. 저, 얘기하기 정말 싫거든요"라고 하자 의현이 그녀를 뚫어지게 쳐다본다.

"그런 분들이 간혹 계신데 그러면 저희 걸립니다"

라고 그가 단호하게 거절의 뜻을 밝히고는 마음에 들지 않으면 지금이라도 돌아가라고 한다. 그의 결연한 표정에 현경은 풀이 죽어 동석의 이야기를 늘어놓는다.

3년 사귄 남자가 있고 1년은 동거를 했는데 알고 보니 그동안 따로 만나온 여자가 있다는 걸 알고는 헤어졌다. 그런데 둘이 같이 붓던 적금통장을 자신의 동의도 없이 깨서는 혼자 다 갖고 가 버렸다....

그런 말을 하는 현경의 얼굴이 화끈 달아 올랐다. 그러자 의현은 "오늘은 여기까지만 하죠"라며 상담 종료를 알린다.

현경은 한 달치 약을 달라고 애원하였지만 의현은 2주치만 원내처방으로 내주었다. 다시는 안 온다는 마음으로 현경이 병원을 나서는데 오랜만에 눈발이 날린다...떠나간 동석이 그립다..자기 돈을 모조리 갖고 도망치듯 집을 나간 그가...그러다가 그녀는 눈길을 걷고 싶다는 생각에 한 두 정거장 걷기로 한다.

그도 그럴까? 나처럼 잠을 못자는 건 아닐까, 하다가 그럴 리 없다는 생각이 든다. 아무리 양다리였다고 해도 내게 마음이 더 많았다면 결코 나가지 않았으리라. 잠이나 자자...

그날 밤 현경은 의사 의현이 처방한 약을 입에 털어넣는다. 정신과 약을 먹어본 적이 없는터라 그냥 후기만 본 그녀는 '온몸이 나른해진다' '의식이 흐려진다' 등의 글에 겁을 먹고 있었지만 처음 한 시간 정도는 아무렇지도 않았다. 그러다 그녀는 어느새 잠이 쏟아지는 자신을 발견하고는 침대 속으로 파고 든다...

그때였다. 꿈결엔가 전화벨이 울렸다.

"저..낮에 뵀던 이의현입니다. 정신과"

"아..선생님"

"혹시. 잠 안 온다고 많이 드심 안됩니다. 처방대로 드시라고요"

환자가 자기만 있는 것도 아닐텐데 그래도 신경을 써준 그가 고마우면서도 그녀는 부담스러웠다.

"네 알겠습니다"하고 그녀는 먼저 전화를 끊고 잠

속으로 떨어진다.

그녀는 자는 동안 많은 꿈을 꾼 거 같다. 대부분 동석과 함께 한 날들이 뒤엉켜 이뤄낸 몽상 같은 것이었다. 하지만 눈을 뜨는 동시에 그것들은 아주 희미한 흔적만 남기고 대부분은 증발해버렸다.

"잠은 좀 주무셨나요?"

2주 후 병원을 찾은 그녀에게 의현이 걱정스레 물어 왔다.

"가끔은 못 자요. 그래도 대부분은.."

"그러다 잘 자게 됩니다....헤어졌다는 그 남자분은 이후"

지난번 괜히 동석의 이야기를 했다는 생각이 든다. 이래서 정신과를 오기가 싫었던 건데...그래도 대답은 해야 해서 그녀는 말한다.

"잘 생각 안나요 이제는"이라고.

"2주 만에요?"라며 의현이 의심스럽다는 듯이 되묻는다.

정신과 약을 오래 먹으면 끊지 못한다는 이야기를 들은 적이 있어 현경은 자의로 약을 끊어보기로 하고 새로 타 온 2주치 약은 비상약으로 두기로 한다. 그날 밤 그녀는 약을 복용하지 않은 채 자려 하지만 잠은 오지 않았고 피로감만 쌓여간다...그러다 간신히 빠져든 가수면 상태에서 그는 동석과 함께였다. 그가 '널 사랑해'라고 말하고 있었다. '돌아가고 싶다'고.

그녀가 그런 그의 손을 잡는데 눈이 떠졌다. 잔 게 아니다...머리가 지끈거리고 속에 메슥거린다. 어지럽기까지 하다. 이미 지난 2주간 먹은 약이 뇌를 새로 세팅해 버린 것만 같다. 이제는 약을 먹어야만 잠을 잘 수 있다는 걸 인정해야 했다. 그녀는 포기하는 심정으로 서랍에서 약을 다시 꺼내 한 봉 털어놓고는 베개에 얼굴을 파묻는다.

"걔랑 헤어졌어...우리 합치자. 혼인신고도 하고"라며 동석이 애원했다.

의현이 준 약을 먹고 그녀가 깊은 잠에 빠져있을

때 초인종 소리가 희미하게 들려왔고 도어스코프 너머엔 그녀가 사주었던 패딩을 입고 입김을 내뿜으며 서 있는 동석이 있었다. 해서 그녀는 '나가서 얘기하자'며 그를 데리고 공터로 향했다. 둘은 한겨울 추위에 벌벌 떨며 나란히 섰다. 그러자 동석이 말했다. 다시 합치자고.

"왜? 내가 재활용 쓰레기라도 돼?"

그녀가 발끈하자 동석이 심각한 얼굴이 되었다. 그러더니 "그동안 누가 생긴 거야?"라고 묻는다.

"응...의사야"라는 그녀의 대답에 동석이 믿지 않는 눈치다.

"난 왜 의사 만나지 말란 법 있어? "라고 그녀가 쏘아붙인다. 정신과 의사라며 그녀는 의현을 떠올린다. 자기도 모르게 툭 튀어나온 이 말이 어이없지만 그렇다고 이 상태로 동석을 받아 들일 수도 없었다. 그러고는 담배를 입에 무는 그를 놔두고 공터를 빠져나오는데 눈물이 흘러 내렸다.

그렇게 2주 후에 다시 찾은 병원은 대기 환자로 북적이고 있다. 이미 몇 번 봤다고 간호사가 아는 체를 하며 생긋 웃어준다.

"얼마나 기다려야 돼요?"라는 현경의 질문에 "한 시간 반? 두시간?"이라고 그녀가 어림잡아 대답을 한다. 그말 에 지겨워진 현경이 포기하고 돌아서는데 뒤에서 의현이 자기 이름을 부르는 소리가 들려온다. 강현경씨!

지금쯤 대기실에서는 대기 환자들이 쑥덕거릴 것이다. 순서를 무시하고 진료를 본다고...

그러나 의현은 그런 것 따위는 상관없다는 얼굴이다.

"이제 좀 자나요?"

"약 없으면 못자요. 정신과 약이 다 이런가요?"

"차차 줄여가죠 그럼..."이라며 의현은 모니터를 들여다보며 약을 조정하는 눈치다...그러다 툭 내뱉는다.

"오늘 저녁 시간 되시면"

"네?"

"저녁, 같이 할래요? 할 애기도 있고..."라며 그가 잔뜩 긴장해서 묻는다.

"무슨..."하는데 현경의 명치끝이 아려오는 느낌이다...오래 전 동석을 처음 보았을 때 느껴본 통증이다...

"제가 잘 아는 파스타집 있는데..그런 거 좋아해요?"라는 동석의 말이 비현실적으로 들려온다. 그의 제안에 뭐라고 대답했는지 기억도 못한 채 진료실을 나온 그녀는 처방전을 받아야 한다는 것도 잊어버리고 유리문을 밀고 나오는데 뒤에서 자기 이름을 부르는 간호사의 다급한 소리가 들려온다.

"강현경씨 들어가세요"

그 소리에 현경은 눈을 비빈다. 모든게 낯설다. 회색 실크벽지며 길다란 대기 의자들, 그리고 낯선 많은 얼굴들. 그리고 방금 상담을 끝내고 나왔는데 또 들어가라니? 그녀는 마치 도망치듯 병원을 뛰쳐나온다. 그렇게 건물 밖으로 나오자 동석이 추위에 웅크린 채 서성이고 있다.

어? 하고 현경이 그를 보고 놀라 하자,

"진료 끝났어? 금방 나온다더니.."라며 그가 어서 가자며 그녀의 팔을 끈다.

현경은 아무 기억도 안 난다. 그녀의 기억은 지난

번 공터에 동석을 혼자 남겨두고 돌아오던 것에서 끊겨 있다 .이후는 아무것도 생각이 나지 않는다. 어떻게 그 이후를 살아냈는지, 어떻게 견뎌 냈는지...

"하나 물어봐도 돼?"

그 말에 동석이 고개를 끄덕인다.

"자기, 돌아온 거야 나한테?"

그 말에 동석은 대답 대신 그녀를 자기 쪽으로 밀착시킨다.

"지금 눈 오는 거 맞지?"라며 그녀는 자기 손을 내밀어 내리는 눈을 맞는 시늉을 한다. 그러자 동석의 얼굴이 일그러진다.

" 겨울 끝난 게 언젠데.."하는데 하필 그때 띠디디 하면서 신호가 바뀐다. 둘은 어색한 거리를 유지한 채 그 자리에 멈춘다. 현경은 빨간불을 적의에 가득 차 노려본다. 그런 그녀가 동석은 무서워진다.

그리고는 다음 순간 , 달려오는 검은 색 승용차와 현경이 부딪치고 그녀가 허공으로 붕 떴다. 사람들의 비명 소리가 일제히 들려 왔다.

"저 때문에...저 때문에 그렇게 갔어요. 착한 여자였는데"라며 동석이 의현 앞에서 눈물을 보인다.

"혹시 그 분 성함이.."

"현경이요. 강현경"

동석의 대답에 의현의 키보드 위 두 손이 멈칫한다. 얼마 전 지독한 불면증을 호소하던 한 여자, 자살 충동에 망상장애까지 있던 여자. 그래서 걱정 끝에 자신이 전화까지 했던 그녀가 죽었다는 소리에 그의 가슴이 먹먹해진다. 그럴까 봐 저녁이라도 먹으면서 달래주려고 했는데...

"그녀에게 미안한가요?"의현이 떨리는 음성으로 묻는다.

"통 잠을 잘 수가 없어요....자면 올 거 같아서, 꿈에 볼 거 같아서 왔어요...자게 해주세요 선생님..."

동석은 한달 치 약을 원했지만 의현은 2주간의 약만 원내처방으로 내주었다. 그 약을 주머니에 찔러넣고 동석은 예전에 현경과 둘이 살던 그 집까지 걷기로 한다.

가다가 시장에 들러 해산물을 좀 사야겠다는 생각

을 한다. 하루 종일 공장에서 힘들게 일한 그녀가 좋아하게 맛깔난 저녁상을 차려야겠다...

<내가 죽인 남자>

은선은 어떻게든 결말을 내야 한다고 생각한다. 지금으로선 이것만이 생활을 유지하는 방법이므로 여기서 실기하면 안 된다. 그런데 후반부가 써지질 않는다. 남자 여자는 티격태격하면서도 드라마의 90%까지 이야기를 끌고 왔다. 그런데 남은 10%가 안 되고 있는 것이다.

어렵게 다시 연락해 원고를 봐주기로 약속한 pd 태석의 얼굴이 그녀의 눈앞에서 오락가락한다. 이번에 원고가 팔리면 밀린 월세도 내고 당분간은 사는 건데..

그러고 있는데 태석으로부터 전화가 걸려온다. 얼마나 더 기다려야 하냐고. 그 말에는 짜증이 묻어났다. 둘은 예전 은선이 처음 드라마 작가로 등단했을 때 그녀가 건네준 원고를 수정해 드라마로 만든 게 인연이 되었다. 그러나 그녀는 비정하고 거친 방송

풍토를 이기지 못해 그곳을 뒤쳐 나왔고 아르바이트로 편집일을 거들며 생계를 유지해왔다. 그러다 보니 늘 돈에 쪼들려야 했고 나이 마흔이 다 돼가도록 '뚜렷한 직업'이라고 내세울 게 없는 상황이 되었다.

"사흘 안에 보내드릴게요. 거의 다 썼어요"라고 하자 pd 태석은 휴, 하고 한숨을 내쉬더니 아무 말도 않고 전화를 끊어버린다. 이렇게 해서 이 원고가 드라마화 될 확률도 50%로 팍 줄어버렸다 . 은선은 그래도 어떻게든 후반을 써내야 한다는 생각에 담배도 피워보고 술도 마셔보고 그러다 문득 남자와 섹스를 해보면 글이 풀릴지도 모른다는 생각이 들었다. 그러다 '그'가 떠올랐다.

지난번 홀로 떠났던 남도 여행길에 만난 그 남자 이도훈. 그때 둘은 펜션을 하나 잡아 이틀을 같이 묵으면서 몸을 섞었고 그 어떤 기약도 없이 은선이 먼저 서울로 올라오면서 헤어졌다. 이 후 서로 안부 문자 정도가 두 세번 오갔지만 그것도 한참 전의 일이다.

지금 내가 도훈에게 연락을 하면 나를 기억이나 할까,싶었지만 자신의 원고를 끝내기 위해서는 무슨 일이든 해야 했으므로 그녀는 눈을 딱 감고 폰에서 그의 연락처를 찾아내 전화를 걸었다. 발신자가 뜰 것이므로 만약 그가 안 받는다면 그 자체로 미련을 접어야 하리라...

한참을 벨이 울린 뒤 상대는 예의 그 나긋나긋한 도시 남자 특유의 톤으로 전화를 받았다.

"잘 지냈어요?"라는 그의 말에 은선은 안도한다. 하지만 그 다음이 문제다. 글을 마무리해야 해서 당신과 섹스가 필요하다고 어떻게 말을 하는가...

"안 그래도 궁금했어요?"라며 그가 길을 터주었다.
"한번, 뵐 수 있을까요?"라며 그녀는 쩍쩍 말라가는 입술에 침을 묻혀가며 간신히 물어 본다.

오랜만에 보는 도훈은 남도에서 보았을 때보다 조

금은 야위어 보인다. 그래도 귀공자풍의 세련된 외모는 여전했다. 찻잔을 쥐는 그의 손은 여전히 희고 손가락은 가늘고 길다. 그런데....그 시점에서 은선은 숨이 턱 막혀버린다. 도훈의 왼손 약지에 반지가 끼워져있다. 그동안 결혼을 했구나 하자, 섹스고 뭐고 아무것도 떠오르질 않는다. 그렇게 계속 입술이 타들어가는 그녀를 바라보던 도훈이 "안 그래도 연락 한 번 하려고 했어요"라며 같은 말을 반복했다.

"실은 제가 글을 ...그러니까 드라마를 다시 쓰고 있는데"라고 은선이 대답하자

"아, 잘됐군요. 언제 방송되나요?"라고 천진하게 물어 온다.

"근데 원고를 아직 끝내지 못했어요"라고 하자 "그럼 제가 너무 오래 붙들고 있음 안 되겠네요"라며 그가 상기된 얼굴로 말을 한다.

"그게 아니고...결혼, 하셨나요?"라고 그녀는 묻는다.

"그게...네, 했습니다"라고 도훈은 뜸을 들이다 대답을 한다.

그 말에 둘 사이엔 어색한 침묵이 흐른다. 침묵을 먼저 깬 건 은선이었다.

"...어떻게 지내는지 궁금했어요"

"아, 저는 잘 지냈어요.."라고 그는 곰곰이 둘이 함께 했던 시간을 반추하는 듯한 표정을 짓는다.

"바쁘실텐데 시간 내주셔서 감사해요"라고 그녀가 말하자 그가 약간 아쉬운 표정을 짓더니 차가 없으면 자기가 바래다 주겠노라 한다. 은선은 호의는 고맙지만, 하고는 서둘러 까페를 나섰다.

그 자리에서 "오늘 밤 저랑 섹스하실래요?"라는 말을 차마 어찌 하겠는가...

그녀는 마침 오는 버스에 올라탔다. 그리고 힐끔 창밖을 보는데 까페를 나온 도훈이 저만치 파킹돼 있는 suv에 오르는 게 보였다.

글렀어...이 글을 끝낼 수가 없어....라고 생각하고 그녀는 최악의 경우를 상상했다. 집에서 쫓겨나고 오갈 곳 없어진 근미래 이런저런 자신의 모습을..게다가 달랑 한 개 있는 신용카드마저 연체기한을 넘겨 신용불량자가 되는 것을...

그런 생각을 하다가 얼핏 도훈의 차를 본 거 같다. 그녀가 시선을 모아 밖을 보자 도훈의 suv가 바싹 옆에 붙어 따라오고 있다. 설마 자기를 쫓아오랴 싶으면서도 그녀는 포기했던 '그와의 섹스'에 대한 미련이 되살아남을 부인할 수가 없었다. 그녀는 이것도 '기회'일 수 있다는 생각에 중간에 버스에서 내렸다. 그러자 기다렸다는 듯이 도훈의 차가 그녀 옆에 와서 멈추었다.

도훈의 섹스는 남도에서보다 한층 원숙하고 감미로웠다. 하긴 이제는 유부남이니 ... 둘은 한 몸이 돼서 좁은 은선의 침대를 뒹굴었다..

그러나 섹스가 끝나고 짧은 잠까지 끝난 뒤에는 그녀의 마음에는 죄책감이라는 거북한 감정이 스며들었다. 유부남과 잤다는...

해서 그녀는 서둘러 샤워를 하러 들어갔다.

샤워를 마치고 나왔을 때 도훈은 방에 없었다. 응? 하고 둘러보지만 그는 어디에도 없다. 창밖을 내다봐도 그의 suv는 보이지 않았다. 갔구나 와이프한데... 나처럼 죄책감을 잔뜩 안고...

그런 생각을 잠시 하다 그녀는 섹스로 인해 잊고 있던 원고가 떠올라 서둘러 컴퓨터를 켠다. 문서창을 띄우고 쓰다만 곳에 커저를 갖다댄다.

그녀는 마법에 걸린 것처럼 후반을 써나간다. 확실히 '섹스'만한 자극제는 없다는 생각에 그녀는 거의 마무리 단계에 들어간다.

그때 전화벨이 울렸다. 도훈이었다.

그는 반가웠다는 이야기를 하더니 어렵게 실은, 하면서 따로 할 얘기가 있어 보인다. 그도 은선을 만나고 싶었다는 말을 하자 은선은 상대가 유부남이라는 생각이 더더욱 강하게 다가온다.

"돈이 좀 필요했어요...회사 나와서 친구들하고 벤처 하나 차렸는데 기대했던 지원금이 안 나와서"

은선은 어이가 없다. 그 역시 뚜렷한 '목적'이란 걸 갖고 그녀를 기억에서 불러 냈다는 게 여간 불쾌한 게 아니다. 그것도 돈문제로...

"근데 사시는 거 보니까...."

"얼마가 필요하신가요?" 그녀는 비웃는 투로 물어본다.

"한 5000, 어렵겠죠?"라는 그의 말에 그녀는 아무 말 없이 통화 종료를 누르고 컴퓨터 액정으로 눈을 돌린다. 자신은 그가 결혼한 몸이라는 사실만으로도 자책을 하였는데 그는 그런 상황에서도 돈이 필요해 잠깐 스쳐간 여자인 자신을 이용하려 했으니, 그에 비하면 자신은 순진해도 너무 순진했다는 생각이 든다...

그 순간, 그녀는 두 남녀의 해피엔딩으로 치닫던 원고를 손봐야겠는 생각이 든다. 그리고는 클라이막스에서 반전을 넣기로 한다. 남자가 회사 건물 옥상에서 실족하는 걸로 .

남자는 그렇게 30층 빌딩에서 추락해 그 자리에서 죽고 만다.

원고를 받아본 pd 태석은 원고가 마음에 든다며 당장 만나자고 한다.

아자! 은선은 쾌재를 부르며 나갈 채비를 하는데, 봄비가 가늘게 유리창을 적시는 게 눈에 들어온다. 겨울이 갔어...영영 갈거 같지 않던 그 겨울이...

<피안의 사랑>

경수는 어렴풋이 그녀가 기억이 난다. 2,3년전, 자신에게 이메일을 보내왔던 게 떠오른다.

그때 그녀는, 프랑스 남자와 결혼할 거 같다며 프랑스어 과외를 받고 싶다고 했고 경수는 자신의 조교인 상희를 추천하고 전화번호까지 주었다. 그러나 이후 그녀 장미로부터는 아무 연락도 없어 괜한 짓을 했다는 생각이 들었고 상희에게 미안한 마음이 들어 석사과정임에도 학부 강의를 주었다. 그 일로 둘 사이가 그렇고 그런 사이라는 소문도 돌았지만 그런 것에 괘념치 않았고 이후 상희는 프랑스로 박사과정을 하러 떠나면서 소문은 자연히 사그라들었다.

그녀 장미...

이름부터가 특이해 기억 속에 남아있는 건지도 모른다. 유장미.라고 그때 메일에서 이름을 밝혔던 그녀가 세월을 뛰어넘어 또다시 이메일을 보내온 것이다.

"그때는 정말 죄송했어요..프랑스 남자와 결혼 직전까지 갔다가 깨지는 바람에.."라며 그녀는 사과의 내용을 적어보냈다. 사과하는 이에게 뭐라 할 수도 없고 어쨌든 결혼이 안 됐다는 것이 안쓰러워 "일이 그렇게 된 거군요. 좋은 분 나타나겠죠"라고 간략히 답장을 써서 보냈다.

그리고는 오후에 잡혀있는 보들레르 강의 준비에 들어간다.

경수는 박사 후 과정을 하기 위해 제자인 상희가 박사과정을 밟고 있는 보르도로 갈 준비를 하고 있었다. 채비를 거의 마쳐갈 즈음, 이번에는 장미가 전화를 걸어와 , 자신이 식사라도 대접하고 싶다고 한다. 다 지난, 그것도 한참 전 일로 장미의 밝목을 잡은거 같아 그는 정중히 거절을 하였지만 장미도 끈질기게 나와 결국 둘은 경수의 출국 이틀 전 만나기로 약속을 잡았다.

그가 장미와 약속한 학교 근처 이탈리안 레스토랑에 들어서자 그녀 쪽에서 첫눈에 그를 알아보고는 자리에서 일어났다.

"오기 전에 포털에서 교수님 검색해봤어요"라며 그녀가 살짝 보조개를 파며 웃었다. 그녀는 조용한 타입의 미인이었다. 첫눈에 경수는 그녀에게 끌렸지만 이틀 후면 프랑스로 출국해야 했고 그 외에도 교수라는 신분이 여러 가지를 제약하는 부분이 있어 그는 최대한 조심하기로 한다. 그러고 있는데,

"결혼은 엎그러졌어도 불어는 하고 싶어서 그동안 조금 배웠어요"라며 그녀가 맑게 웃었다.

"남자는 한국계 프랑스인이었어요. 어릴 때 프랑스로 입양된..."

"그렇군요...근데 왜, 결혼 직전에"

"아무리 피는 한국인이어도 사고방식은 완전히 서구적이었어요. 그때, 제가 근무 시간이라 주민센터에 가서 제 서류좀 대신 떼어달라고 했더니, 니 일을 왜 나한테 시키냐며 벌컥 화를 냈어요"

"아...알겠어요 무슨 말인지."

서구 사대주의에 젖어있는 사람들이 막상 그들을 가까이서 접하면 겪게 되는 흔한 케이스 중 하나였다. 그만큼 서구인들의 한국인, 아니 일본을 제외한 아시아인에 대한 시각이란 게 어느정도인가를 잘 말해주는 대목이기도 했다. 해서, 국제결혼이 곧잘 파경을 맞는 건가 하다보니 어느새 파스타 접시가 말끔히 비워져 있었다. 이어서 커피 두잔과 티라미슈 케익이 놓여진다.

"bon voyage, monsieur"라며 장미는 짧지만 유창하게 ,잘 다녀오라는 인사를 한다. 비음이 잘 어울리는 낭랑한 목소리였다.

.

그날 술을 하지 않아 그는 장미의 오피스텔까지 데려다 주기로 마음을 먹는다. 저녁도 얻어먹었으니 그 정도는 해줘야겠다는 생각이다.

그리고는 그녀가 한사코 사양하는데도 보문동 그녀의 오피스텔로 차를 몰았다.

오피스텔 건물은 신축인지 꽤 높아 보였고 깨끗하고 모던한 느낌을 주었다. 이런 데 살 정도면...하다 그는 고개를 내젓는다. 지금 자신에게는 프랑스에서의 박사후과정 이상 중요한 게 있을수 없고 그래서도 안된다는 생각이 든다.

"고마웠습니다. 그럼 다음에" 라며 장미가 차에서 내리려는 순간, 그는 자신의 생각과는 전혀 다른 엉뚱한 말을 하고 만다. "집에 혹시 맥주같은 거 있나요”

그 말에 장미가 물끄러미 그를 쳐다본다. "운전도 하셔야 하고 곧 출국도"

"아 죄송합니다. 제가 실수했습니다"하고는 서둘러 차에서 내려 옆의 조수석 문을 열어준다. 그런 그의 행동에 당황한 장미가 "그럼, 잠깐 들어왔다 가실래요?"한다.

그녀의 오피스텔에 들어서자마자 그는 장미를 격하게 끌어안았다. 여자를 안아본 지 한참 됐다는 생각에 그는 갈급하게 그녀를 탐했다. 장미는 처음엔 저항하는 듯하더니 이내 체념한 듯 그를 받아들였다.

그렇게 둘의 정사가 끝날 즈음 둘은 담배 한 개비를 나눠 피웠다. 여기 금연 아닌가? 하자, 다들 피워요 그냥,하면서 그녀가 담배를 바닥에 밟아 끈다.

그러자 그가 말한다 "나 기다려 줄건가?"

그 말에 장미가 뚫어져라 그를 쳐다본다. 그러더니 "가요 그만 , 늦었어"라며 그의 옷을 입혀준다. 그러는 그녀를 그는 한 번 더 안았고 밤이 깊어서야 그는 장미의 오피스텔을 나섰다.

그가 수하물 등록을 한 뒤 탑승 게이트로 가는데 "이경수씬가요?"라며 낯선 남자의 목소리가 들려왔다. 누구지?하고 고개를 돌리자 첫눈에도 '형사'로 보이는 골격이 큰 남자 둘이 자신에게로 다가오고 있었다. 그들의 눈빛에서 그는 모든 걸 읽어냈다. 자신의 과오를. 그녀는 처음엔 저항했어도 결과적으로는 그를 받아들였고 오피스텔 앞으로 배웅까지 나왔다. 그리고는 신고를 한 것이다. 강간을 당했다고...

프랑스에 도착해 박사후 과정에 어느 정도 적응을 하게 되면 제일 먼저 장미를 부를 생각이었고 그녀와 동거에 들어갈 생각이었다. 그리고는 과정을 마치는대로 그녀에게 청혼할 생각이었는데... 그의 머릿속 스케줄이 한순간에 뒤엉켜 버린다.

형사들은 그가 아무말 없이 내민 두손에 수갑을 채운다. 게이트의 승객들이 무슨일인가 싶어 그를 쳐다보았고 , 그렇게 경수는 경찰에 이끌려 공항 로비를 나온다... 그 와중에도 혹시나 하고 장미를 찾아보지만 그녀는 어디에도 없었다

<겨울에 부르는 이별 노래>

경혜는 오랜만에 영화 <호랑이 손님>을 ott로 다시 보고 싶어진다. 예전에 영화관에서 보았을 때 꽤 깊은 인상을 남긴 터라 이번 영화 리뷰는 이 작품으로 가기로 한다. 그렇게 그녀는 노트북을 켜고 최대한 편한 자세로 예전에 본 것을 복기해가면서 찬찬히 다시 감상한다.

그때 전화가 울린다. 벨소리가 조금은 짜증스럽다..
액정을 본 그녀는 발신자를 보고는 헉, 하고 숨이 멎는다.
3년 전 자신을 무참히 배반하고 떠났던 동욱이 전화를 걸어온것이다. 그녀는 이걸 어쩌나,하고 망설이기만 한다. 수신 거부를 누르기에는 그에 대한 미련이 너무 많았고 통화버튼을 누르자니 무엇보다 자존심이 허락하지 않았다 . 그녀가 그렇게 양극단의 감정을 오가는 사이, 전화벨은 끊어진다.

동욱은 "너라면 끔찍해. 다신 나타나지마!"라고 소리치고 그녀를 버린 남자였다. 경혜의 10평 오피스텔 킹 침대에서 같이 뒹굴던 그 동욱이 아니었다. 지방 강연 도중 만난 이제 갓 여대생티를 벗은 '그녀'에게 빠져 버린 동욱은 그야말로 '헌신짝처럼' 오랜 연인인 경혜를 버린 것이다. 경혜는 마치 자신이 3류 소설이나 드라마에 나오는 주연같다는 생각이 들었다. 차라리 '자기보다 나은 여자'에게 빼앗겼으면 그토록 마음을 다치지 않았을텐데, '그녀'는 레스토랑에서 서빙 아르바이트를 하며 근근이 살아가는 문학소녀일 뿐이었다. 그렇다고 집안 배경이 대단하다거나 잘난 형제들이 있거나 한 것도 아닌 홀홀단신, 천애고아나 다름없는 어린 계집아이일 뿐이었다. 그런 그녀가 동욱의 '포스트모던 소설에서 해체의 문제'라는 제목의 강연을 듣고는 동욱의 예전 소설책에 저자 사인을 받으면서 둘의 인연은 시작되었다. 그리고는 동욱의 외도, 그녀의 임신, 그리고 동욱과 경혜의 파경.

"한번만 더 생각해봐"라며 울며 붙잡는 경혜의 손을 차갑게 뿌리치고 그렇게 동욱은 그녀의 오피스텔을 떠나갔다. 그리고는 3년.

곧 다시 울릴 거 같던 그녀의 전화기는 고집 센 초로의 여인처럼 완강하게 침묵하고 있다. 무슨 일일까... 하다가 경혜는 고개를 저어버린다. 술 먹고 한 번쯤 생각났겠지...하면서 그녀는 아예 폰 전원을 꺼버리고 <호랑이손님>을 이어서 시청한다. 오랜만에 만난 옛 연인, 둘 다 작가지망생, 그러나 그 만남은 우연을 가장한 여자쪽의 계획적 만남으로 드러나고... 그래, 이랬지...아, 호랑이...라면서 경혜는 절반 이상의 분량을 보고는 리뷰가 가능하다 판단돼 글을 쓰기 시작한다. 마침 마감도 임박한 터라 끝까지 다 보고 썼다가는 편집장에게 싫은 소리를 들을지도 모르는 일이었다.

그러나 리뷰는 한 두 줄 쓰고 나면 막히고 커저로 블록을 만들어 날린 뒤 다시 쓰고를 반복했지만 결국 써지지 않았다. 그러는데 그녀의 아랫배에 통증이 느껴진다. 하필....그러면서 그녀는 욕실로 달려간다.

생리가 시작되었다. 예정보다 일주일이나 앞당겨 찾아온 그야말로 '반갑지 않은 손님'이었다. 생리를 할 때마다 그녀는 자신이 여자로 태어난 게 말할수 없이 짜증이 나고 때로는 열등하다는 생각까지 들었다. 그렇게 패드를 아래에 대고 시뻘건 변깃물을 내리고 나니 약하게 현기증이 몰려온다. 이런다니까 꼭...하면서 그녀는 욕실에서 나와 동욱과 함께 뒹굴던 그 널따란 침대에 털썩 몸을 내던진다. 아...이번 리뷰는 안되겠다고 문자를 보내야겠다는 생각이 든다. 두 번씩이나 본 영화의 리뷰조차 쓰지 못하는 자신의 무능함이 한탄스럽기만 하다.

이번이 마지막이라는 심정으로 그녀는 다시 노트북과 마주하고 문서창 텅 빈 액정을 뚫어져라 쳐다본다.

그때 초인종 소리가 들린다.

동욱은 아무 일 없었다는 듯이 그녀의 방으로 들어선다.

"내 수건 아직 있나?"하며 그는 윗옷을 훌러덩 벗어 던지고 욕실로 저벅저벅 걸어 간다.

경혜는, 3년 만에 나타난 동욱이 마치 자기 집처럼 오피스텔을 휘젓고 다니는 게 이해가 가지 않았고 그러고 싶지도 않았다. 해서 그녀는 전화기를 들고 경찰에 신고를 하려 하는데 그순간 동욱이 성큼 다가와 그녀의 손에서 폰을 뺏어 던져 버린다.

"쓸데 없는 짓 하지 마라"라는 경고를 던진 뒤 동욱은 욕실로 들어간다. 곧이어 그의 오줌 누는 소리, 변기 물 소리, 그리고 샤워 물 소리가 들려온다. 그러자 경혜는 야릇한 평화와 안정감을 느낀다. 생리로 인한 아랫배의 통증도 잠잠해지는 느낌이다.

그녀는 노트북 액정에 글자를 쳐나가기 시작한다. 제목은 <호랑이 손님> 부제는 <겨울에 부르는 이별 노래>라고 친다. 그리고는 스웨덴 작가 a의 소설 속 한 문장을 인용하는 것으로 첫 문장을 시작한다.

"우리 모두는 이별하기 위해 잠시 함께 한다.."

그렇게 그녀가 신들린 듯 리뷰의 반 정도를 썼을 때 동욱이 욕실에서 나온다. 그는 완전히 알몸인 채로 젖은 머리를 손으로 털고 있다

"욕실에 드라이기 어디 갔어?"

그 말에 경혜는 자동인형처럼 화장대 서랍에 넣어 둔 헤어드라이어를 건네준다. 그러자 그는 무표정하게 그걸 받아 전원을 꽂고 머리를 말린다.

그런 그를 물끄러미 보던 경혜는 남은 리뷰를 마저 쓰기 시작한다.

"애가 컸겠네 이젠?"라는 경혜의 질문에

"유산됐어. 나올 때 다 돼서"라고 그가 대답한다.

그 말에 경혜는 동욱의 '그녀'가 안됐다는 생각이 든다. 난생처음 타인에게 느껴보는 연민 같은 것이었다. 동욱으로 하여금 자신을 무참히 버리게 한 '그녀'였음에도 이번만은 밉지가 않았다.

"둘이 그래서 헤어진 거야?"라며 그녀가 담배를 한 개비 물며 물어 본다.

"몰라...말 안해"라고 동욱이 말한다. 그리고는 헤어드라이어 전원을 난폭하게 잡아빼더니 드라이어를 침대에 던져 버린다.

"나 배고프다"라는 그의 말에 경혜는 그가 늦은 시각에 먹는 '가락국수'를 좋아했던 기억이 난다.

"해줄까 우동?"

"좋을대로.."라며 그는 졸린 듯 침대 속으로 들어

간다.

자고 있는 동욱의 곁에서 경혜가 끓인 가락국수가 식고 있다. 자는 그를 살짝 흔들어 봤지만 그는 귀찮은 듯 등을 보이고 모로 돌아 눕는다. 해서 경혜는 그의 잠을 방해하지 않기로 한다. 그리고는 리뷰의 마지막 문단을 써 내려 간다. 마법이라도 걸린 것처럼 글은 술술 써진다. 그리고는 마침표를 힘주어 찍고 그녀는 빠르게 오탈자와 어색한 문장을 정리한 뒤 편집장에게 송고한다.

원고가 마무리되었다는 사실이 이처럼 홀가분하게 와닿은 적도 없다. 그리고는 자고 있는 동욱의 옆에서 다 식어버린 가락국수를 집어 전자레인지로 가져가 잠시 덥힌 뒤 경혜는 허기진듯 먹어치운다. 그러다 힐끔 쳐다본 창밖으로 오랜만에 눈이 내린다. 그리고는 다시 침대로 눈을 돌린다. 예전 동욱과 함께 뒹굴던 그 침대가 지금은 텅 비어있다. 그래도 그녀는 마치 그가 있는 것처럼 시트를 가지런히 하고 베개 두 개를 나란히 붙여놓는다. 그리고는 "자?"하고 중얼거린 뒤 널따란 침대의 한 켠을 차지하고 누워서 마치 동욱이 옆에 있기라도 한 듯 그의 베개를 어루만지다 그 속에 자신의 얼굴을 파묻고 그녀는 죽음 같은 깊은 잠에 빠진다.

<철없는 사랑>

만나고 헤어지고를 반복하다 보니 이젠 그런가 보다 하는 심정이 돼서 이별도 만남도 그닥 현실감이 없었다. 최소한 미정에게는 그랬다. 지난 한 달 그는 경욱에게 또다시 일정 금액을 건넸고 그럴 때면 경욱은 '내가 사람 구실을 못해서 니가 고생이다'라면서도 거절하지는 않았다. 그러고 보니, 미정의 지인이나 친구 중에도 남편은 놀고 아내가 팔 걷어부치고 생활전선에 뛰어든 경우가 많았다.

어렵게 다시 만난 만큼, 돈이야 누가 벌든 그게 뭐 중요하랴 생각한 미정은 이번엔 기필코 결혼에 이르기로 작정했다. 그런 자신의 마음을 비치면 경욱도 암묵적으로 동의를 하는 눈치여서 미정은 지금 사는 평형에서 좀 더 넓혀갈 생각을 하고 있다. 하지만 집은 나갈 듯 하면서도 나가지 않았고 그런 일이 거듭되자 경욱은 조금씩 짜증을 내기 시작했다.

"요즘 시기가 그렇잖아"

"내가 뭐래? "하고 그는 툴툴대며 답답한 속내를 드러냈다.

"한 1000만 줘!"

이 말을 할 때만 해도 둘은 그다지 가깝지가 않았다. 가끔 시내에서 만나 술이나 나눠마시는 사이였다. 그럼에도 경욱은 미정의 집에 유독 민감하게 반응하였고 그것이 부모의 유산이어서 오빠 정수와 나눠야 한다는 말에는 발끈했다. 그러면서 돈 1000주고 말라는 말을 아무렇지 않게 했다. 그런 그를 보며 미정은 두 가지 생각을 하였다. 그가 자기와 살 마음이 있다는 것, 그리고 그의 물욕이 병적이라는 것이었다.

그렇게 2년의 시간이 흐르는 동안 둘의 갈등 포인트는 역시 '돈'이었다. 한번은 결별한 바로 다음날 그에게서 다급하게 전화가 걸려 왔다 . 미정이 전화를 받지 않아도 벨 소리는 끊이질 않았다.

"왜?"

"차가 멈춰섰다. 돈좀 부쳐라"
"내 카드 있잖아."
"몰라. 던지고 나왔다."

당시 미정은 자신의 신용카드 중 하나를 경욱에게 주었다. 그러자 그는 마지못해 받는 시늉을 하면서 '쓸 데도 없는데'라고 하고서는 그 다음 날부터 줄창 긁어대기 시작하였다. 저럴 줄 알았으면 한도설정을 해두는 건데, 라는 후회가 일었지만 이제 와서 매월 한도를 정해버리면 그건 그에 대한 이별 선언이나 다름없어 미정은 그냥 내버려 둘 수밖에 없었다...

“미스 호치민 18000” 이란 카드결제 문자를 보고 이게 뭘까, 하고 검색을 해보니 베트남 음식을 파는 음식점이었다. 비싸 봐야 5000원인데 뭘 어떻게 먹었길래...하다가,아무래도 2인분 어치라는 생각이 들자 그 상대가 궁금해졌다.
지난 2년 동안 둘이 밥을 먹고 경욱이 밥값을 계산한 건 손에 꼽을 정도였다. '알지? 나 돈 없는 글쟁인 거?'라는 무언의 압박이 그녀 스스로 지갑을 열게 하였고 또 으레 그러려니 하였다.

하지만 이 모호한 결제문자를 보고 그녀는 따져 묻기로 하였다.

"이것저것 옵션까지 하면 그 정도 들어"

"내가 봤어 . 옵션도 죄다 싸든데"

그러자 경욱은 폰커버에서 미정의 카드를 꺼내 그녀 앞으로 휙 내던진다. 그리고는 씩씩대면서 까페를 나가 버린다.

그녀의 무릎에 떨어진 그 카드를 물끄러미 보던 그녀는 '이렇게 또 끝나는구나'하는 마음에 울컥 설움이 복받쳤다. 하지만 지금 나가서 그를 잡는 순간 돈 문제도 그의 여자 문제도 모두 묻고 간다는 의사표시가 되므로 애써 참기로 한다.

그날 저녁, 그녀가 욕조 물을 받으며 정신을 놓고 있는 사이 바깥에서 전화가 울린다. 경욱은 웬만해서는 전화를 하는 일이 없었다 아주 급한 상황이 아니면. 그러면서도 미정 옆에서 다른 여자들과는 태연하게 전화며 메시지를 주고받았다.

"왜?"

그녀의 조금은 퉁명스런 말투에 전화 너머에서 그가 후, 한숨을 내쉰다.

"너 돈 좀 번다고 유세 떨기야?"라며 그가 어줍잖게 화해를 청해 온다.

"나 씻어야 돼"

"지금 생각해보니 아들 거 싸달라고 했더라"라며 그는 애써 카드비 내역을 해명하려 한다.

"아들이 쌀국수 좋아하거든"

그에겐 이제 중학생이 된 전처소생의 아들이 하나 있다. 전처가 의사였고 그러면 돈 없는 경욱이 아이를 맡는 것보다는 전처에게 양육을 넘길 만도 한데 경욱은 기어코 아이를 데려왔다고 했다. 부자는 방 두칸 짜리에 월세로 살고 있다.

생계가 어려우면서도 싸구려 글은 안 쓰겠노라 고집을 피운 탓인지, 아니면 글 자체가 메리트가 없는 건지 경욱의 소설은 팔리질 않았고 그에 비해 그의 물욕은 하늘을 찔렀다.

'언젠가 당신의 그 욕심이 당신을 망칠 거야'라며 미정이 악다구니를 쓴 적도 있다.

미정은 온라인으로 옷을 팔고 있다. 처음엔 조금씩 사입을 해서 팔다가 지금은 위탁판매를 하고 있다. 결혼 직전까지 갔다가 상대방에게 오랜 여자가 있음을 알고는 헤어진 쓰라린 기억이 있어 그녀는 혼자 살겠노라 하였지만 결국에는 알음알음 경욱을 만나게 되었고 연애를 하게되었다.

"이제 아들한테 나 소개시켜 줘야 하는 거 아냐?"

그녀는 이렇게 그의 의중을 떠보기로 하였다.

"애가 어려서..아직도 지 엄마 찾는데..글쎄, 인사는 시켜야지..."라면서 그가 난처해했다. 이렇게 이 남자와는 또 틀어지는구나 하는 표정을 미정이 짓자 그가 얼른 위기를 모면하려는 듯 "일요일 날 와"라고 말을 했다.

훈은 여느 사춘기 아이들보다 훨씬 성숙해 보였다. 일단 외모부터가 남달랐고 눈치도 빨라서 경욱이 "

아빠 아는 아줌마"라고 미정을 소개하자 입가에 알지 못할 미소를 지어 보이고는 친구와 약속이 있다며 서둘러 자리를 피해주었다.

"나 이렇게 산다"라며 그가 집 내부를 공개했다. 잔뜩 어질러진 그 좁은 공간을 보며 미정은 하루라도 빨리 살림을 합쳐 부자를 돌봐야겠다는 생각을 했다.

"저녁 먹고 갈거지?"

"뭐, 줄 건 있구?"

"라면이지 뭐."라며 경욱이 냄비에 물을 담아 가스레인지에 올렸다.

그 순간, 현관이 열리며 조금 전 나갔던 훈이 돌아왔다.

"약속 있다매?"

"취소"

하고 훈은 자기 방으로 들어가 문을 닫아버린다. 그런 훈의 행동에 미정은 조금은 난처해진다.

"우리 나가서 쌀국수 먹을까? 훈이랑?"

그녀의 말이 훈의 방까지 들렸던 모양이다.

"저 베트남 음식 싫어요"라는 훈의 대답에 경욱의

얼굴에 작은 경련이 인다.

"그냥 라면 주세요 "하고 훈은 덧붙였다.

"미스 호치민에서 아들 먹을 것도 샀다며"라는 미정의 말이 채 끝나기도 전에 경욱은 부산하게 냉장고를 열어 파와 계란을 끄집어낸다. 그런 그를 물끄러미 보는 미정에게 그가 채근을 한다.

"뭐해 좀 도와줘"

그 말에 미정은 갈피를 잡지 못한다.

그날 밤 미정은 혼자 가겠다고 우겼지만 경욱은 전에 없이 바래다주겠노라 고집을 피웠다.

그렇게 서울행 시외버스정류장까지 오는 길에 그가 불쑥 이런 말을 한다.

"정 집이 안 나가면..."

그의 그 다음 말이 예사롭지 않을 거라는 예감이 미정을 섬뜩하게 한다.

"그럼 뭐..."

"우리 장사해 볼까? "

그 말에 그녀가 발끈한다.

"무슨 돈으로?"

"한 1억만 대출받으면 외곽에 작게"

"차 세워!"라고 그녀가 소리쳤다.

그 말에 경욱은 힐끔 그녀를 쳐다보지만 그녀의 시선은 이미 창밖 어둠을 향해있다.

"야, 우리 부부나 마찬가진데 뭘 그렇게 예민하게 반응해?"

"차 세우라고 했지?"

그녀가 정색을 하고 말하자 그도 할 수 없다는 듯 차를 세웠다.

"훈인 베트남 음식 못먹는다며!"

그 말에 경욱이 대답을 못한다.

"너 이 동네에 여자 있니?"

그 말에 경욱의 눈이 휘둥그레진다.

"무슨 상상을 하는 거야? 그리구 너라니!"

"그지같은 자식"하고 그녀는 경욱의 차에서 내려 다급하게 걸어 간다. 그런 그녀를 잠시 따라 오는가 싶던 경욱의 차가 사거리가 나오자 그녀를 버리고 옆길로 빠진다. 그렇게 멀어져 가는 경욱의 차를 보며 미정은 이젠 완전히 끝났다는 느낌을 받는다. 우린 헤어지려고 만난 거였어...

그리고는 저만치 서 있는 빈 택시를 타고 서울로 가자고 한다.

"야, 너 그렇게 가버리면 어떡해"

다음 날 , 자기 집에서 경욱의 흔적을 싹 다 치워버린 후 피곤해서 골아떨어진 미정의 귀에 전화 너머에서 마치 철없는 아이 달래듯 경욱이 조근조근 말을 한다.

"당신 모든 게 거짓이잖아."

"그냥 친구야. 여자 사람 친구 . 요즘 세상에 이 정도는 패스해줘야 하는 거 아냐?"

이어지는 그의 변명을 듣던 미정은 하긴 뭐 그럴 수도 있다는 생각을 한다. 자신도 초등동창 민규와 가끔 연락하고 밥도 먹고 하니...

"정말, 아무 사이 아닌거지?"

"친구라니까...넌 참.."

"그리고 난 이 집 잡힐 마음 없어"

"그냥 잠깐 생각해 본거야. 요즘은 누구 집 보러 오는 사람 없어? 너랑 빨리 합치고 싶다"

"진심이야?"

"속구만 살았냐?"

라는데 띵동 하고 초인종이 울린다. 인터폰 화면에 낯익은 부동산 업자와 젊은 남녀가 서 있다.

"집좀 볼게요"라는 업자의 말에 미정은 다급하게 경욱의 전화를 끊고 현관으로 달려간다.

<꿈이었어라>

상희는 아이가 좋아할 만한 케익을 찾느라 진열대를 한참 서성인다. 그러자 아르바이트생이 다가와서 '아기들 이거 좋아하는데'라며 티라미슈 케익을 손으로 살짝 가리킨다. '정말 잘 먹을까요?'

오늘 상희는 경환의 열 살 난 아들 완을 소개받기로 하였다. 어린아이와의 만남인데도 마치 경환의 부모라도 만나러 가는 것처럼 그녀는 며칠 내내 긴장하고 소화도 제대로 안 되었다.

"완이 엄마 노릇할 수 있어?"라며 에둘러 청혼한 경환을 실망시키고 싶지 않았고 결혼한다면 정말 완에게 잘해주겠다는 마음을 먹었다.

"우리, 꼭 애 낳을 필요 있을까?"라고 언젠가 경환이 더이상 자식을 볼 마음이 없음을 밝혔을 때 상희는 너무나 서운해서 이 만남을 그만둘까 하는 생각까지 하였지만 이후로 마음이 어지러워 아무것도 할

수가 없었다. 그러고 있는데 사흘 뒤 경환으로부터 걸려온 만나자는 전화는 그동안 그에 대한 원망을 모두 잠재우고도 남을 만큼의 위로와 힘이 되었다.

"그럼 딱 하나만 낳자. 딸이면 좋겠는데"라는 경환의 전향적 제안에 그녀는 눈물을 글썽이기까지 하였다.

사별자 안엔 절대 치워지지 않는 단단한 방이 있다는 애길 어디선가 읽은 적이 있다. 상희는 그래서 처음 대학 선배가 경환의 이야기를 하면서 다 좋은데 사별자라는 말을 했을때 조금 망설였다. 하지만 끝내, 이혼도 아닌 사별로 홀로 된 게 죄는 아니라는 생각이 고개를 들었고 그렇게 둘은 만나게 되었다.

첫 만남 때 경환은 못 박듯 아이 완의 이야기를 하였다.

"난 애를 위해서는 뭐든 합니다. 완이 잘 키워줄 여자 필요합니다"라는 그의 말이 전혀 거부감 없이 들렸고 오히려 그런 그의 부성애에 상희는 감동 받기까지 하였다. 그리고는 만난 지 석 달 만에 당일치기로 다녀온 여행지 페션에서 둘이 첫밤을 보낸 날 상희는 경환과 결혼하기로 마음을 굳혔다.

그리고는 상희가 먼저 , 죽은 전처를 보고 싶다는 말을 하자 경환은 물끄러미 그녀를 보더니 되물었다. "완이 엄마 노릇할 수 있어?"라고.

완은 예상대로 낯을 많이 가리는 아이였다. 아기 때 엄마를 잃었으니 딱히 죽은 엄마 때문은 아닐테고 그냥 숫기가 없는 그런 아이였다. 그렇게 데면데면해하는 완을 보며 경환은 사뭇 심각해 하는데 상희가 사온 티라미슈 케익을 완이 정신없이 먹어치우는 걸 보고는 경환도 안도하는 눈치였다.

"맛있다"하며 입가에 케익을 잔뜩 묻히며 아이가 맑게 웃을 때 상희는 마치 자기 배로 낳은 자식 같다는 생각이 들었다. 어서 경환과 결혼해서 이쁜 여동생을 만들어 줘야겠다는 생각을 하기까지 하였다.

납골묘에서 완의 생모를 보고 오던 날 경환은 얼굴이 어두웠다.

"왜?"

"아니..명절 다가오잖아"라며 경환은 깊게 한숨을 내쉬었다.

둘이 만난 초기 어느 명절에 경환은 '어디좀 다녀와야 한다'며 명절에 만나지 못한다고 하였다. 그러려니 하고 그냥 넘긴 상희는 뒤늦게야 그가 옛처가에 다녀온 걸 알고는 당연히 갈 곳을 갔다 왔다고 생각하였다. 사별자를 만나기로 하였으면 그 정도는 감당해야 한다고 생각하였고 그런 의중을 내비치자 경환은 그 다음부터는 떳떳하게 '처가에 간다' 하고 드나들곤 하였다. 그래도 상희는 이해하려 하였다.

"이번 명절에 거기 가지?"

나흘 연휴가 코앞에 다가왔을 때 상희가 먼저 말을 꺼냈다.

"가야지 당연히"라며 경환은 고개를 주억거렸다.

"당일 날 가? 아니면"

"그냥 당일 하루. 가서 점심이나 저녁 먹고 오는거지 뭐"라는 그의 말에 상희는 명절 다음날 자신의 부모에게 경환을 소개시켜야겠다 마음을 먹었다.

"왜? 왜 그걸 물어?"라는 경환의 물음에 상희는 빙

긋이 웃기만 하였다.

"실없긴.."하고 경환은 상희의 집 앞에 차를 갖다댔다.

"명절 잘 보내고 연락하고"라며 상희가 그의 목에 두 팔을 두르자 경환은 "누가 보면 어쩔라구"하면서도 싫지 않은 눈치였다 그렇게 긴 입맞춤을 한 뒤 상희는 차에서 내렸다.

상희 부모는 상대가 사별남이라는 말에 그래도 이혼남은 아니니 다행이라고 입을 모았다. 그렇게라도 마흔 다 된 딸을 치울 수만 있다면 하는 눈치였다. 게다가 경환은 견실한 사업가여서 먹고 살 걱정도 할 필요 없었고 아이 완도 상희를 잘 따른다는 말에 더더욱 안심을 하였다.

상희는 어서 명절 당일이 지나 경환을 집에 인사시키고 싶었다.

하지만 경환은 명절 당일이 다 가도록 아무 연락이 없었다. 상희가 보낸 메시지도 하루 종일 열리질 않았다. 가서 한 끼 간단히 먹고 온다던 그의 말대로라면 저녁쯤이면 집에 왔어야 하는데도 그는 그날 밤까지 아니 다음날 정오 무렵까지도 상희의 메시지를 읽지 않았고 전화 한 통 없었다.

죽은 사람을 질투하는 것까지는 아니지만 자신에게 청혼까지 한 경환의 이런 태도는 상희로서는 받아들이기가 어려웠다. 해서 상희는 다 저녁이 돼서 용기를 내 그에게 전화를 걸었다. 하지만 벨이 서너번 울리자 전화는 음성 사서함으로 돌아갔다. 가끔 화장실에 있거나 전화 받을 상황이 아니면 그가 전화를 이런식으로 돌린다는 건 알고 있었지만 이번엔 무감하게 넘어가 지질 않았다. 처가도 다녀 왔을테고 지금쯤 집에서 쉬고 있으면서 자기 전화를 이렇게 거절한다는 게 상희로서는 납득이 가질 않았다. 발끈해진 상희가 다시 전화를 하자 이번에도 역시 한 두번 벨이 울린 뒤 음성 녹음으로 넘어갔다.

뭘까 이 시그널은?

그러는데 그녀의 메시지 앱에 빨간불이 들어왔다. 상희는 다급히 메시지 창을 열고 그가 보내온 메시지를 읽는다. "가만좀 있어 . 처가야 아직"이라는 경환의 메시지에 상희는 아득해지는 느낌이다. 어제 가서 밥 한 끼 먹는다더니 그럼 거기서 잤다는 얘긴가...

상희는 메시지 창을 열어놓은 채 한참을 멍하니 있다가 늦어져서 잔 거겠지 하고는 답문을 찍기 시작한다. 오늘 저녁 집에 와서 부모님께 인사드리라고.

그러나 그 메시지 역시 몇 시간 동안 읽히질 않더니 자정이 다 돼서야 '읽음'으로 떴다. 상희는 온몸이 달아 그의 답을 기다렸지만 그날 밤 경환은 그 어떤 답도 주지 않았고 상희의 부모는 상희가 애써 경환이 급한 일로 오지 못했다고 해도 손사래를 치며 다 그만두라고 하였다.

"나야 . 왜 연락이 없어?"

이틀 뒤 상희가 퇴근 무렵 그의 회사로 찾아가서 꺼낸 첫마디가 이랬다.

"부모님, 기분 많이 상하셨겠다"라며 그가 상희의 반응을 살폈다.

"이런 생각했어...당신이 아직도 완이 엄마 못 잊어

한다는"

"그런 거 아냐...그게 언제 얘긴데..."

"근데 왜...그냥 밥 한끼 먹는다면서"

"그건 니가 상관할 바 아니잖아!"

그 말에 상희는 반쯤 입이 벌어진다. 처음으로 조경환이라는 남자가 낯설게 느껴졌다. 짧지 않은 순간을 알아 온 사인데도 그가 멀게 느껴졌다.

"우리, 결혼할 사이 아냐? 그걸 전제로 만나온 거 아니냐구"

상희가 조금 격앙돼서 말하자 경환의 표정이 살짝 일그러진다. 짜증이 난다는 투다.

"뭐야 그 표정은?"

"너랑 결혼한다고 해서 죽은 애 엄마랑 남이 되는 건 아냐"

이 말을 상희는 이해할 수가 없다. 아무리 갈등이나 싸움 끝에 헤어진 사이가 아니어서 정이 있을 수 있다 쳐도 이건 아니라는 생각이 든다.

"뭐야 그럼...난 뭐야?"

"내가 얘기했잖아. 우리 완이 키워줄 여자 필요하다고"

상희는 더 이상 그와 마주 앉아 있다는 자체가 부조리하게 느껴졌다.

"나도 부모님 계셔! 그래도 명절이면 와서 인사 정도는"

"나한테도 시간을 줘야지. 일방적으로 약속 정해놓고 나보고 맞춰라? 그건 아니지"라며 그가 답답한지 넥타이를 느슨히 한다.

상희는 비틀거리며 자리에서 일어난다.

"바래다줄까?"

마치 둘 사이에 아무 일도 없다는 듯이.

경환의 차는 잠시 상희의 뒤를 따르는가 싶더니 어느 시점 부턴가 상희의 시야를 벗어나 보이질 않았다. 꿈이었어...다 꿈이었어..하는데 어디선가 요란한 경적소리가 들려 상희는 힐끔 고개를 돌린다. 보행신호가 바뀐 것도 모르고 횡단보도 한 가운데 멀뚱하니 서 있다는 걸 깨닫기까지는 한참이 걸렸다.

<그가 죽인 여자>

"뭔 오피스텔?"

기수의 뜨악한 반응에 진희는 조금은 서운하다. 언제는 가까이 살라고 하더니 막상 기수의 동네 근처에 미니 오피스텔을 얻겠다고 하니 그의 반응이 시원치가 않다.

"자기가 가까이 살라고.."

"내가? 그럼야 좋지 뭐. 이사 올 거야?"

"집이 빠져야 가든 하지. 그냥 단기로 일단"

"그래? 그럼 내가 좀 알아봐?"

그리고는 그날밤 기수로부터 전화가 걸려왔다. 자기 집 근처 소형 오피스텔을 구두 계약했노라고.

미지근한 반응치고는 행동이 빠르다는 생각이 든다.

진희는 지금 사는 집을 1년 전에 내놓았는데 통

나가질 않았다. 한 두 번 가격 흥정이 들어와서 그녀는 최대한 맞춰주려고 하였지만 끝내는 불발되고 말았다.

지금 거처가 딱히 불편하거나 한 건 아니었고 돈이 문제였다. 회사를 나온 지 한참 되다 보니 퇴직금도 거의 바닥이 났고 기수가 손을 내밀면 돈을 건네지 않을 수가 없었다. 그러다 보니 이제는 자신의 삶 자체가 막막해졌다. 궁여지책으로 시작한 옷장사는 기대치에 미치지 못했고 그래서 집을 팔기로 한 건데 통 나가질 않았다.

그래도 한동안은 기수가 보름에 한번 꼴로 찾아오더니 근래 와서는 '너무 멀어'라며 오질 않았고 그녀에게 오라는 식이었다.. 그렇게 되면 그녀는 버스를 두 번 갈아 타고 두 시간 거리의 기수의 동네로 가서 그를 만나야 했다. 그렇게 그의 동네를 떠나던 어느날, 버스 차창 밖으로 비친 소형 오피스텔 건물이 눈에 들어와 저 정도면 세가 비싸진 않겠네, 하다가 그녀 나름의 묘안을 찾았다.

그것이 바로 세컨하우스로 그 동네에 오피스텔을

얻는 것이었다. 그리되면 기수가 오기를 기다릴 필요도 없고 원할 땐 언제든 만날 수 있고 옷 장사도 온라인으로 하고 있으니 그다지 걸리적거릴 게 없었다.

가뜩이나 없는 돈에 오피스텔 월세까지 내는 게 쉬운 게 아니었지만 지금처럼 서로 멀리 떨어져 살다가는 무슨 사달이 나도 날 거 같다는 생각이 들었다.

그래서 그녀는 우선 6개월짜리 단기 월세를 찾았고 기수가 그걸 찾았다는 이야기였다. 구두계약을 할 게 아니라 그 정도의 계약금이면 기수가 처리할 수도 있는 걸 그녀에게 와서 직접 계약 하라는 말에 그녀는 조금은 서운하였다.

아무리 빌트인이 돼 있다 해도 살 건 사야 하는 상황이었다. 일주일에 반은 이곳, 반은 서울에서 지낼 생각이어서 며칠이라도 머물려면 침대, 식탁은 있어야 하고 간단한 책상도 필요했다. tv야 노트북이 대신한다 해도 이렇게 저렇게 잔 손이 많이 가는 상황이었다.

진희는 곰곰이 생각 끝에 침대를 더블로 주문하였

다. 아무래도 기수를 의식하지 않을 수 없었다. 대강 눈으로 재보니 그 침대를 놓으면 방이 거의 꽉 찬다. 2인용 미니 소파가 옆에 간신히 들어갈 정도의 공간 밖에 남지 않는다. 그래도 소파가 없으면 불편해 하는 그인지라 소파도 작은 것으로 하나 주문하였다.

조금은 설레기도 했다. 후미진 골목에나마 세컨하우스가 생겼다는 사실이. 그리고 무엇보다 기수와 가까이 지낸다는 게 이런저런 상상을 하게 만들었다.

오피스텔을 계약하고 서울집에 오자 어서 다시 그곳에 가서 지내고 싶다는 생각이 들었다. 그래서 진희는 동네 부동산 업체들에 자신의 집 도어락 비번을 문자로 일괄 통보하고 그 다음날 다시 오피스텔로 향했다.

"너 어릴 때 소꿉장난 많이 했지?"

얼추 가구며 집기가 갖춰진 진희의 방에 들어서며 기수가 이렇게 내뱉았다.

"이 좁은 방에 뭘 이렇게 쑤셔 넣었어?"

"그래도 다 필요한 거잖아"

"얼마나 사나 보자"

갑자기 족발이 먹고 싶다는 기수의 말에 진희는 마트에서 사온 식자재를 꺼내다 다시 넣는다

"그럼 시켜 먹을까?"

배달은 20분도 걸리지 않아 쏜살같이 도착했다. 기수는 배가 고팠는지 랩을 찢고는 손으로 덥석 집어 먹기 시작했다. 그 모습을 보며 진희는 그가 늘 '배고프다'는 말을 달고 사는 걸 상기했다.

"자기 , 집에서 안먹고 살아?"

"귀찮잖아. 남자가 뭘 해먹니"

그 말에 진희는 가슴이 먹먹해졌다.

결혼 1년도 안 돼 아내의 외도로 이혼한 진수의 사정 이야기를 들은 그날 둘은 처음으로 함께 밤을 보냈다. "내가 잘해줄게"라며 진희는 그의 품에서 속삭였다. 눈물도 흘렀다. 불쌍한 사람...

그렇게 둘은 2년의 연애를 끌어오고 있다. 퉁명스럽고 무뚝뚝해도 그의 마음만은 의심하질 않았다. 그러니 이렇게 무리를 해서까지 그의 곁으로 온 게 아

닌가.

"너 니 집 가 있을 때 나 여기 와 있어도 돼?"라며 기수가 족발 기름이 묻은 입술을 티슈로 닦아내며 말한다.
"우리 만난 날. 그게 비번이야"

기수는 진희의 오피스텔에서 걸어서 10분 거리의 구축 원룸 연립에 살고 있다. 엘리베이터가 없어 그는 6층까지 오르내리는게 지겹다고 하소연을 했다.
"운동 되고 좋지 뭐"라고 했을때 그는 발끈했다. " 다 배부른 인간들이 하는 소리!“

기수가 이렇게 위성도시로 흘러든 건 이혼하고 얼마 안 가서였다. 그때까지 기수는 작은 출판사를 하면서 책도 제법 냈는데 친한 작가 s의 작품을 받은 게 화근이 되었다. 원고지 1000매의 장편소설이었고 출간 뒤 대대적으로 홍보까지 하였는데 누군가 일간지 문화부에 '표절'로 투고를 한 것이다. s를 불러 진위를 묻자 "하늘 아래 새로운 게 어딨어"라며 되레 타박을 하였고 얼마 안 가 그의 책들은 유통서점 매대에서 자취를 감추었다. 그렇게 그의 출판사는 문을 닫았다.

백면서생인 기수는 막일도 하지 못했다. 말로는 '뭐라도 해서 먹고 산다'고 하였지만 그게 뜻대로 되지 않았다. 간간이 편집일을 하며 사는 형편이니 벌이라고 할 수도 없었다. 그러니 늘 돈에 궁했고 성격은 투박해졌고 신경질적으로 변해갔다. 그런 그의 생계비를 거의 진희가 떠맡게 되었다.

"나도 얼른 이사 가야지. 이건 집이 아냐. 닭장이지"라며 그는 진희의 오피스텔 침대에 드러누우며 툴툴댔다.

"그래도 계약 기간이란 게 있는데"

" 몰라 몰라"하며 그는 모로 누우며 잠에 빠졌다.

무심한 그의 등을 보며 진희는 서울집이 빠지는 대로 둘이 같이 살 공간을 마련해야겠다는 생각을 한다. 그리고는 기수가 잠든 사이 온라인으로 서울 외곽이나 가까운 위성도시 쪽의 값싼 매물을 검색했다. 진희가 원하는 크기의 아파트는 아무리 외진곳이어도 턱도 없이 비싸서 진희는 방 두칸 짜리 오피스텔로 눈을 낮추었다. 그렇게 하자 그에 부합하는 매물 몇 개가 눈에 띄었다.

"뭐하니 이리 와"라며 기수가 빼꼼 고개만 돌려 진희를 불렀다. 그렇게 진희는 기수의 품에 안겼다.

비가 계속 내렸다. 기수가 진희를 찾지 않은 것도 벌써 나흘째다.

처음 기수 옆으로 이사를 왔을 땐 하루가 멀다 하고 드나들고 그녀가 주말에 서울집에 가 있을 땐 대신해서 오피스텔을 쓰곤 하던 기수가 요즘은 통 얼굴을 보이지 않는다. 전화를 할까 하다 하루만 더 기다려보기로 한다. 하지만 결국엔 전화를 걸고 만다.

"어....몸이 좀 그렇다. " 라는 기수의 말에 진희는 가슴이 뭉클하다.

아팠어 이 남자가. 요 며칠 아무 소리도 없이 아팠

구나 싶어 그녀는 그길로 약을 사 들고 그의 아파트로 향했다.

"뭐 할러 와. 내가 갈텐데"라며 기수는 눈꼽을 떼며 문을 열었다.

집안은 한마디로 '난장' 그 자체였다. 여기저기 빈 컵라면 용기, 소주병, 주전부리 과자 부스러기들이 널려있다. 진희는 두 팔을 걷어 부치고 집 청소부터 한다.

"놔둬. 내가 하지. 니가 왜"라는 그를 밀치며 진희는 청소기를 돌린다.

"야, 시끄럽다"하며 욕실로 들어가는 기수의 등을 물끄러미 보던 그녀의 눈에서 뚝뚝 눈물이 흘러 내린다.

그리고는 연달아 사흘을 기수는 진희의 오피스텔을 찾았다. 하루는 간만에 편집일이 들어왔다며 밤새 진희 옆에서 일을 했다. 진희는 둘이 결혼하면 이런 기분이겠구나 싶었다.

그 다음 날도 기수는 한참을 뭉그적거리다 갔고 이튿날 또 왔다...빨리 서울집이 나가야 이 사람이 편해질텐데...하는데 서울 부동산에서 전화가 걸려왔다. 2000만 다운시켜줄 수 없냐는 흥정 전화였다. 지금도 거의 최저치로 내놓아서 더 깎을 일도 없건만 부동산 경기가 워낙 침체하다 보니 이제는 아예 거저 달라는 식이 많았다. 진희는 하루만 생각해보고 답을 주겠노라며 전화를 끊었다.

"임자 나왔을 때 팔아라"며 기수가 채근했다.

결국 1500을 깎아주는 선에서 집은 나갔고 진희는 기수에게 제일 먼저 알렸다.

"정말이야? 그 집이 나갔어?"라며 기수는 자기 일인 양 좋아라 했다.

"그 동네 , 오피스텔 방 두칸짜리 내가 좀 봐뒀는데"라고 진희가 말하자 기수는 "그럼 나 닭장 벗어나는 거니?"라며 당장이라도 자기 집에서 나올 기세다.

오피스텔 계약 기간이 아직 남아있어 그때까진 기

수의 작업실로 쓰기로 하고 진희는 예전에 온라인으로 봐둔 그 방 두 개짜리 오피스텔을 계약했다. 그렇게 이사는 빠르게 진행되었다.

"자긴 왜 나한테 결혼하자는 얘기 안 해?"

이사가 코 앞으로 다가 왔을 때 진희는 그의 품에서 물었다

"상황이 안되잖아. 내가 뭐라도 해야..."

"돈은 누가 벌면 어때..언젠가 자기도 벌겠지. 요즘 1인 출판이 붐이라는데"

"책은 징글징글 하다...하면 난 식당이나 까페 하고 싶어."하더니 "북까페 어떨까?"

"책은 징글징글 하다며.."라며 그녀가 웃었다.

분명 기수였다. 기수보다 한참 작은 키의 여자가 찰싹 달라붙어 가고 있다. 진희는 자기 눈을 의심했다. 설마...

그러고 보니 진희가 새 오피스텔로 옮긴 이후 기수는 그녀를 찾는 횟수가 눈에 띄게 줄어들었다. 서울 집을 처분하고 남은 돈을 거의 기수에게 넘겨준 이

후로 기수의 태도는 달라졌다.

기수씨! 하고 소리치고 싶은 걸 진희는 간신히 참는다. 그렇게 자기 앞의 기수와 여자는 대형 할인 마트 안으로 들어가 버린다. 난 왜 이곳으로 온 걸까...

서로 멀리 떨어져 있는 동안 왜 한번도 기수에게 가까운 곳에 여자가 있을지 모른다는 생각을 하지 못한 걸까...

"나야. 왜 안 왜 요즘?"

전화 너머에선 기수의 숨소리만 들려 온다.

"자기 땜에 여기까지 온 건데"

"내가 오라고 했니?"

"우리...안봐 이젠?"

"그러고 싶어?"

"우리 끝난 거면 내 돈은 돌려줘"라며 진희가 울먹울먹 한다.

그러자 긴 침묵 끝에 한껏 다운된 기수의 목소리가 다시 들려온다.

"넌 늘 그런 식이야. 니가 좋아서 줘놓고 돌려 달

라구 변덕 부리고"

진희는 지금 통화하는 상대가 기수가 맞나 싶다. 얼마 전까지 자기를 품에 안고 자기의 목덜미에 뜨거운 입김을 내뿜던 그 남자 정기수가 맞는지.

기수가 먼저 전화를 끊어 버린다.

진희는 괜히 이 집을 샀다는 생각이 든다. 그냥 서울에 있을걸....힘들어도 혼자서는 그럭저럭 살 수 있었는데...라며 방 두 칸을 둘러본다. 기수의 서재로 마련한 방에 들어서자 울컥 설움이 복받친다. 그러고 있는데 갑자기 배가 고프다. 안 먹던 중화요리가 머고 싶다. 왜 이럴까....배달앱을 뒤지던 그녀는 두 달 째 생리가 없다는 걸 뒤늦게 깨닫는다.

<드라이 플라워>

기원은, 어디 영화라도 보러갈까? 운을 뗀다. 그 말이 떨어지자 마자 나희는 영화앱을 클릭한다 . 마침 기원이 좋아하는 추리물이 몇 편 있어 캡처해서 보낸다. 그러자 뜸을 들이던 기원은 "다 귀찮아. 잠이나 잘란다"라는 답문을 보내 온다.

나희는 힘이 확 풀린다. 한 달 전 그가 헤어지고 첫 메시지를 보내왔을 때만 해도 나희는 당장 그와 결혼이라도 하는 줄 알고 자존심이고 뭐고 다 접고 당장 만나자고 했다. 그러자 기원은 "우리 시간 좀 갖자"라며 에둘러 거절했고 나희는 자기가 성급했다 생각 돼 그에게 시간을 주기로 했다.

그러다 한 달 만에 그가 처음으로 영화를 핑계로 만나려고 해서 그녀는 이 기회를 놓치면 안 된다는 생각에 빠르게 대응했는데 또다시 거절을 당하고 나자 둘이 다시 이어진 건 맞나,하는 의구심이 든다. 해서 그녀는 따로 답문을 보내지 않고 밀린 일이나 마무리 지을 생각으로 회사로 나간다.

휴일이어서 아무도 출근하지 않은 텅 빈 사무실 자기 자리에 앉으며 컴퓨터를 켠다. 얼마 전 기사를 통해 수리를 받았음에도 부팅은 느리기만 하다. 그동안 커피라도 마실 생각에 그녀는 커피머신을 작동시키지만 기계는 먹통이다. 컴퓨터 부팅이 되는 동안 건물 1층 편의점에서 커피를 사 올 생각으로 그녀는 사무실을 나간다.

그렇게 편의점에 들어서자 주말이면 보이는 그가 매대를 정리하고 있다.

"안녕하세요"

그가 나희를 알아보는 내색을 한다. 지난번 파리 패션쇼를 앞두고 휴일에 나왔을 때도 마주친 게 기억이 난다.

" 주말에 나오시나봐요?"

그러자 예의 사람 좋은 미소를 날리며 그가 대답한다.

"평일엔 회사 다니느라고요"

어쩐지 주말만 나오는 편의점 아르바이트가 있나 싶었다.

"부모님이 하세요 여긴" 이라며 그가 포스에 나희의 카드를 긁는다.

그렇게 나희는 라떼 한잔을 들고 편의점을 나온다.

휴일 도심은 한산하기 이를 데 없다. 평일 이 시간이면 교통지옥인 그 지역 도로도 주말이면 텅 비어 버린다. 그러자 평일에는 가려져 있던 치부 같은 유흥업소들이 눈에 들어 온다.

이유도 없이 한숨을 푹 내쉬면서 그녀가 다시 건물로 들어서는데 나희의 발 밑에 바삭,하고 뭔가가 밟히는 느낌이다.

뭐지?하고 나희가 아래를 내려다보자 말라 비틀어진 드라이 플라워였다... 찬찬히 보니 장미였다. 누군가 사무실에 놓겠다고 가져가다 흘린 듯 하다...

나희는 왠지 그 드라이플라워가 신경 쓰여 한참을 망설이다 집어 든다. 향을 맡아보자 희미하게 아직 향이 남아있어 신기하다...그렇게 드라이플라워를 들고 그녀는 엘리베이터로 향한다.

사무실에 들어서자 컴퓨터는 이국 풍경을 나타내고 있다. 나희가 편의점에서 커피를 내릴 동안 계속 부팅 상태이다 조금 전 켜졌다는 얘기다. 사장에게 몇 번이나 컴퓨터 교체를 건의했으나 사장은 "나중에"라고만 되풀이하고 자기 일 보기에 바빴다.

나희가 다니는 'f 갤러리'는 패션업체였고 사장 h는 프랑스 유학파 디자이너였다. 처음엔 대기업에 속해 일하다가 자기 회사를 내겠다고 사직을 하고 강남 싼 자리에 회사를 차린 것이다. 이제 서른 중반이 조금 넘은 이를 ceo로 대접한다는 게 나희로선 선선한 일이 아니었다. 나이 차도 얼마 안 나고 자기보다도 세상을 겪지 않은듯한 그녀가 사업을 한다는 자체가 불안 불안했다.

그래도 일단 급여는 따박따박 나오니 나희는 더 좋은 일자리가 나올 때까지,라는 자기만의 조건을 내걸고 계속 근무를 하고 있다.

당장 그 다음 주로 잡혀있는 패션쇼 일정을 체크하는데 나희의 전화벨이 울린다. 혹시나 하는 마음에 보자 휴일임에도 텔레마케팅 전화였다. 나희는 짜증스럽게 그 번호를 차단한다.

오늘쯤 기원을 만나는 게 맞지 않나 싶자 갑자기 허탈감이 밀려든다. 그러는데 메시지가 왔다. 기원이다.

"심심하다. 넌 뭐하니?"

그의 메시지를 읽으면서 나희는 그 심심할 시간에 둘이 만나는 게 어떻냐고 답문을 보내고 싶지만 저쪽이 먼저 언급도 않는데 그러기는 싫어 "회사"라고 짧게 대답한다.

그러면서 어쩌면 기원이 회사로 올 수도 있다는 생각을 한다. 하지만 그럴 확률이 얼마나 될까...

그리고는 패션쇼를 주관하는 기획사 a에 업무 메일

을 보낸다. 그리고 모델들에게 쇼 일정을 다시 환기시키는 단체 메시지를 보낸다. 그러고 나서야 옆에서 마시지도 않은 커피가 다 식고 있음을 알아차린다. 아차, 커피를 사왔지, 하면서 나희는 가볍게 스트레칭을 하고 커피를 한 모금 들이킨다. 그러자 온몸에 달달한 기운이 퍼져나간다. 그녀는 커피의 향을 음미한다. 향도 달달했다. 이래서 그녀는 라떼를 제일 좋아한다.

남은 커피는 창가에서 마시려고 창으로 다가가 아래를 내려다본다. 도심의 휴일은 적막하다 못해 서글프다. 저만치 차고 넘치는 대형 쓰레기통이 메가폴리스의 민낯을 보여주고 있다...

그러고 있는데 누군가 아래서 자기를 향해 손을 흔드는 게 보였다. 누군가 싶어 미간을 좁혀 자세히 보니 1층 편의점 그 남자다. 그녀를 향해 손을 흔드는 모습이 마치 오래 사귄 연인에게 하듯 자연스럽기만 하다...

기원과는 오래 사귀었어도 저런 나이브함이 없었는데....

"일 끝났음 내려와요!"라며 그가 그녀를 향해 소리친다.

한 10년 만난 연인 같다...

그녀는 자기도 가볍게 손을 흔들어 보이고 창에서 떨어진다. 가게로 내려와서 뭘 하자는 건지...그녀는 피식 웃음이 나온다. 그리고는 자리로 돌아오는데 옆자리에 잊혀진 채 놓여있는 주워온 드라이플라워가 눈에 띈다. 이제 수명이 다 했으니 버리는 것이 맞겠지만 왠지 안 됐다는 생각에 그녀는 빈 컵에 물을 담아다 꽃을 담가놓는다. 그렇게 해주면 마치 되살아나기라도 할 것처럼...

잠시 잠을 잔 거 같다. 패션쇼 사전 업무를 모두 처리하고 나자 갑자기 잠이 쏟아졌고 그렇게 그녀는 잠에 곯아떨어졌다.

꿈에서 익숙한 느낌의 어떤 남자를 만난 거 같다. 마치 오래 알고 지닌 듯한...기원이었나? 그라기에는 너무나 다정했다. 아니라면 누구였을까...

아마도 기원을 만나지 못하는 데서 오는 스트레스

같아서 그녀는 용기를 내기로 한다. 그리고는 기원에게 전화를 걸지만 신호음만 계속갈 뿐 상대는 전화를 받지 않는다. 예전에도 기원은 바쁘거나 귀찮으면 누구의 전화라도 이런 식으로 따돌림하기 일쑤였다. 사람은 안 변하는구나, 하면서 그녀가 그만 포기할 즈음, "어"하는 기원의 응답이 들려온다.

그 순간 전화를 쥔 그녀의 오른손이 파르르 떨리기 시작한다. 그러면서 혀가 굳어지는 느낌이 든다.

"우리...볼까?"

그 말에 기원은 한참 답이 없다.

"좀 더 시간을 갖자고 하지 않았든가?"

그는 무뚝뚝하게 대답한다.

그 말에 나희는 아랫입술을 질끈 깨문다. 해선 안 될 짓을 했다는 생각이 들고 재회 초기에 재 이별할 가능성이 제일 높다는 어느 블로거의 글도 떠오른다. 조심해야 하는데 자기가 경솔했다는 생각이 든다...

"나 사무실이야..."

나희는 기원이 묻지도 않은 말을 한다.

"왜...휴일인데?"

나희는 할 말이 없다. 너를 만났어야 하는 건데 애먼 일만 하고 있다는 말은 차마 입으로 나오지를 않는다.

"무리하지마"라고 말하고 기원은 일방적으로 전화를 끊는다.

우리가 다시 이어지긴 한 걸까....

나희는 꺼지는 폰 액정을 보며 자기 둘의 관계도 이렇게 꺼져가는 것만 같다.

언젠가 봐야 할 자료여서 나희는 해외 패션 동향이 실린 외서들을 읽기 시작한다. 퇴근해도 누가 뭐라 할 사람도 없지만 집에 가봐야 기원의 생각만 할 게 뻔해 날이 저물 때까지 회사에 남기로 한다. 그러다 보니 배가 출출해 온다. 김밥....하며 그녀는 다시 아래 편의점으로 향한다.

"어서 오"하던 그가 "퇴근해요?"라며 그녀에게 친근하게 말을 건네 온다.

"아뇨...배 고파서.."라며 그녀는 김밥 매대로 가서 삼각 김밥 두 개를 집어 든다. 그리고는 계산대로 오자 그는 "난 이거 뜯는 걸 아직도 몰라요"라며 씩 웃는다.

"알려드릴게요"라며 나희는 삼각김밥 뜯는 법을 그의 앞에서 시범을 보인다. 그러자 그는 "아!" 탄성을 지르며 고개를 끄덕인다...

그렇게 그녀가 편의점을 나서는데 "저기요!" 하며 그가 부르는 소리가 들린다.

나희가 돌아보자, 언제 퇴근하냐며 그가 멋쩍어 한다. 얼핏 나희 보다 한 두 살 위쯤으로 보인다. 그러면 가정이 있는 남자일수도 있다는 생각이 든다.

나희는 주초에 해야 할 일까지 미리 해둔 터라 시간이 좀 남았다. 둘은 편의점 앞 계단에 나란히 앉아 삼각 김밥을 먹는다. 보통 한 개만 먹어도 배가 부른 나희였지만 그날은 왠지 두 개를 사고 싶었고 그렇게 나머지 하나는 정민의 몫이 되었다. 나희가 시범을 보였음에도 정민은 삼각 김밥을 잘못 뜯어 엉망을 만들어 버렸다.. 그걸 보고 나희가 안타까워하자 정민은 "이게 어렵네"하면서 여전히 비닐에 붙어있는 김을 손으로 떼어 냈다.

"무슨 일 해요?"

그가 김과 밥이 따로 노는 걸 한입 베어 물며 물었다.

"패션일, 아니 저는 사무직이예요. 경리도 하고 메일도 보내고 일정 조율도 하고.."

"멀티 플레이어네"라며 정민이 해맑게 웃는다. 그의 잇사이에 김이 끼어있다는 말을 나희는 차마 하지 못한다.

"난 웹디자인 해요."

그 말에 나희는 어디선가 그 일에 대해 본 기억이 난다.

"대강 알아요 어떤 일인지" 하자 그는 폰으로 인터넷을 클릭한다. 그리고는 한 쇼핑몰 페이지를 보여주면서 자기가 디자인했다며 자랑하듯 말한다. 그런 그의 모습이 아이처럼 귀엽기만 하다.

"휴일에도 일하러 나온 거 보면..."

"..."

"남친은 없나보다"

그 말에 나희는 그도 싱글임을 직감한다. 그러고 나서 조금은 민망했는지 정민은 옆에 놓인 생수를 들이킨다.

"조금 있음 알바생 오거든요? 그럼 어디 가서 영화라도 볼까요?"라며 정민이 애써 용기를 낸다. 나희는 뭐라 대답해야 할지 모른다. 기원과는 다시 이어진 게 확실한가? 그럼에도 한 달째 만나지도 못하고 있다. 오늘도 만나자는 자신의 제안을 단칼에 거절한 그가 아니던가.

그녀가 대답 없이 머뭇거리자 "제가 괜한 말을"하며 정민이 제안을 무르는 모양새를 취한다.

"아뇨 봐요 영화"

그 말에 정민의 주저하던 얼굴이 금방 환하게 펴지면서 빛이 다 났다.

"가방만 들고 올게요"라며 나희는 쏜살같이 사무실로 달려간다.

나희는 자기가 컴퓨터를 켜놓은 채 나갔다는 걸 뒤늦게야 알고 전원 버튼을 눌렀다. 이놈의 기계는 켜질 때나 꺼질 때나 한참 걸린다는 생각이 든다. 그렇게 기계가 완전히 꺼지고 그녀가 막 핸드백을 집어 드는 순간 사무실 문이 덜컹 열렸다. 정민인줄 알고 "다 됐어요"라며 문가를 쳐다본 나희는 놀라고 만다. 기원이었다. 도무지 움직일 기미가 없던 그가 왔다...

"기원씨.."

하면서 다가가는데

"다 됐어요?"라며 정민이 그 뒤를 따라 들어온다.

두 남자는 서로를 어색하게 쳐다본다. 그러더니 기원의 입가에 미묘한 미소가 번지기 시작한다. 아니라고 나희가 손사래를 치지만 기원은 문가를 막고 있는 정민을 밀치고 사무실을 나가버린다. 그의 뒤를 따라 나가려는 나희를 이번엔 정민이 잡는다. 오랫동안 봐왔다고. 이 시간을 기다려왔다며 그가 뜬금없는 고백을 한다. "미안합니다. 영화는 아무래도"하고 그녀가 그를 빗겨가자 "사람 갖고 장난합니까?"라는 새된 소리가 날아온다. 그리고는 전에 본 적없는 굳은 표정을 지어 보인다. 나희는 무엇이든 말을 해야 한다는 생각이 들지만 그 어떤 것도 말이 되어 나오지를 않는다. 정민은 한참을 쏘아보더니 등을 돌려 복도를 걸어 나간다.그렇게 두 남자가 나간 뒤 열린 문틈으로 어두운 복도를 한참 바라보던 그녀가 몸을 돌리는 순간, 아까 자신이 유리컵에 담가놓은 드라이플라워가 눈에 들어온다. 더 이상 생명도 없는 걸 괜히 가져왔다는 생각이 든다.

<휴지기>

"축하해..근데.."라며 의정은 전화 너머에서 말끝을 흐린다.

20대 중반에 일찍 이혼을 하고 20년을 혼자 살아 온 친구가 재혼한다는 소식에 누구보다 기뻐하고 축하해 줄 줄 알았던 의정의 반응에 경미는 풀이 죽는다. 그렇게 데면데면하게 전화를 끊고 그녀는 현상에게 전화를 한다. 지금 좀 보자고.

"니 사정 모르는 거 아닌데 뭐..."라며 현상은 커피를 홀짝인다.
"고마워 이해해줘서. "라며 의정이 그에게 따스한 눈길을 보낸다.

둘은 거래처 지인으로 알아 오다 1년전부터 본격적으로 사귀기 시작했다. 현상도 신혼 때 아이없이 이혼한 처지라 서로가 상황도 같았고 해서 현상의 집에서는 딱히 경미를 트집 잡는다거나 하지 않았다. 문제는 경미의 본가, 즉 하나뿐인 혈육 오빠의 반응이다. 얼마 전 오빠의 생일에 "나 사귀는 사람 있어"라고 하자 오빠는 "잘 알아보고 사겨"라고 한마디 하고는 더 이상 말을 하지 않았다. 나이 마흔에 하는 재혼이니 딱히 타인의 허락을 구하고 말 것도 없지만 그래도 세상 유일한 피붙이인 오빠에게만은 인정받고 축복받고 싶은 게 사실이었다.

현상은 한눈에도 신경 쓴 차림인 걸 알 수 있었다. 매형 자리인 경석에게 잘 보이려고 나름 노력한 것이다.

"너무 긴장은 하지 말고"라며 경미가 그의 손을 잡자 그의 손이 차다. 긴장해있다는 증거였다.
"촌스럽게"라며 경미가 핀잔을 주자 현상이 깊이 심호흡을 한다.

오빠 경석은 현상과 악수를 나눈 뒤에도 별말이 없다.

"말씀 많이 들었습니다. 경미, 딸같이 키워주셨다고요"라고 현상이 말하자

"딸은 무슨....지가 알아서 큰 거지"라며 경석은 예의 무뚝뚝함을 드러냈다.

"잘 살겠습니다. 형님"이라고 하자 경석은 경미와 현상을 번갈아 보더니 고개를 끄덕임으로서 그들의 결혼을 허락하는 눈치였다. 그런 오빠의 반응에 경미는 고마움까지 느꼈다.

"형님 사람 좋아 보이던데?"

경석의 집에서 저녁을 먹고 나오며 현상이 차에 오르며 꺼낸 첫마디였다.

이제 결혼만 예정대로 치러지면 된다 생각하니 경미는 모든 게 일사천리로 진행되는 거 같아 마음이 놓인다.

"자기 집에도 인사 가야지"라고 하자

"내가 다 말씀드렸어. 결혼한다고"라고 한다.

"그래도.."라면서도 경미는 이미 현상과 결혼한 기

분이 들어 운전석 그를 뚫어지게 본다.

반듯한 이목구비, 조금은 칼카로운 턱선, 그리고 도시적 세련미. 게다가 둘은 동갑이었다.

"요즘은 웨딩 컨설턴트도 있대"라는 경미의 말에 현상은 "재혼인데 무슨"이라며 살짝 타박을 주지만 경미가 우기면 따르겠다는 눈치다.

"경석 오빠가 좋아하디?"

청첩장을 직접 주기 위해 만난 의정은 사뭇 걱정스레 물어온다. 지난번 전화 통화 때도 그러더니...

경미는 마음이 상한다.

"왜 ...왜 그렇게 생각해? 당연히 오빠야 좋아하지. 하나뿐인 여동생이 짝 찾아간다는데"

"니가...그 집 밥줄이잖아"라며 의정이 냉정하게 말한다.

밥줄..

'무슨 밥줄..."하면서도 완전히 부정을 하지 못하는 데는 그럴만한 사정이 있다.

경석은 10년 전 교통사고로 몸을 크게 다쳐 이후

로는 이렇다 할 직업을 얻지 못해 경미의 수입을 쪼개 살다시피 하였다. 그런 상황이 되면 보통 아내가 발 벗고 생활전선에 뛰어들 만도 한데 올케 희정은 그러질 못했다. 하기 싫어서가 아니라 그럴 용기가 없어 보였다. 해서 경미는 아무 말도 없이 자신의 수입에서 반을 떼서 경석네 생활비를 대주고 있었다.

"내가 무슨 억을 버니...오빠도 다 생각이 있겠지"라는 경미의 말에 의정은 더 이상 토를 달지 않고 남은 음식을 먹는 시늉을 한다.

"어머 언니!"하고 경미는 자신의 집 앞에서 기다리고 있는 올케 희정을 보고는 반가워서 소리친다.

"이제 퇴근해요? 바쁘죠 요즘"이라며 희정이 경미의 팔짱을 낀다.

둘은 누가 봐도 친자매 같았다. 이상하리만치 외모도 닮았고 희정은 친동생을 대하듯 늘 살갑게 경미를 대했다. 그런 행동의 밑바닥에는 물론 자신들의 생활비를 대주는 존재라는 게 깔려 있겠지만...

"집을요?"라며 경미는 먹던 사과를 하마터면 떨어

뜨릴 뻔 한다.

경미가 비록 외곽에나마 20평대 아파트를 갖게 되기까지는 오랜 세월이 걸렸고 그만큼의 노동의 고단함이 묻어있었다. 그런데 지난번 현상을 맞이하던 때와는 달리 희정은 냉정하고 차갑게 이 집의 반을 달라고 요구하고 있다. 경미가 결혼하고 나면 더 이상 재정적 지원이 어려울 테니 집이라도 나누자는 식이었다.

그 말에 경미는 왜 친구 의정이 그리도 경석의 반응을 걱정하였는지 이제 이해가 간다.
"집은 좀...내가 가끔 신경 써드릴게요 언니"라고 하자 희정은 "이미 오빠랑 얘기 다 끝냈어요"라고 한다.
무슨 얘기를 어떻게 끝냈다는 것인가. 이집을 갖는데 경석이 기여한 지분은 1도 없는데....

"니가 이해해라. 형님 입장에서는 당신이 일할 수도 없고 하니 그럴 만도 하지...신혼은 일단 내 오피스텔에서 시작하고 그 집은 팔아"라고 현상이 말을 해준다. 그 말에 희정은 고맙고 서럽다.

"고마워"라고 말하자 "얼른 집이나 팔아"라고 현상이 다시 말한다.

그날 현상과 헤어져 들어오는 길에 경미는 동네 부동산업체 몇 군데에 집을 내놓았다. 요즘 집이 잘 안 나간다는 걸 알기에 일단 시늉이라도 해보자는 마음이었다.

그런데 덜컥 일주일 후 집이 빠졌다. 집이야말로 제 주인을 찾으면 나간다더니...

계약을 하고 중개업소를 나오는 경미의 마음이 착잡하기만 하다.

"정말? 대박이다.."라며 전화 너머 현상이 반기는 눈치다. 어떻게 팔았냐, 대견하다,까지 덧붙이며 이게 다 우리들이 인연이어서 그렇다고 좋아라 한다.

집에 들어와 그 소식을 올케 희정에게 전하자 역시

같은 반응이었다. 그러고는 남편에게 "아가씨 집 팔렸대"라며 알려주는 목소리까지 들려온다. 이렇게들 좋을까....

경미는 이후 현상과 거의 매일 만나 예식 일정을 소화했다. 아무리 생략을 하라 해도 전혀 안 해갈 수 없는 것이 예단이어서 그 준비도 하랴, 이사 준비도 하랴 그녀는 정신이 없었다. 현상의 오피스텔이라고 해봐야 복층구조의 실평 10평 남짓한 공간이어서 경미는 자기 짐을 최소한으로 줄여야 한다는 생각에 최대한 버리고 가기로 마음을 먹었다. 그리고는 이사가 코앞으로 닥쳐오자 현상은 퇴근하면 경미의 집으로 와서 짐 싸기를 거들었다. 아무리 포장이사를 한다 해도 주인이 챙겨야 하는 짐도 만만치 않았다.

"무슨 말인데 그래?"

그날도 현상은 짐 싸기를 돕다가 불쑥 할 얘기가 있다며 얼굴이 어두워진다. 이제 모든 문제가 다 풀린 마당에 무슨 속사정이 있다는 걸까? 경미가 의아해하자 현상이 어렵게 말을 꺼낸다.

"우리 집도 너네랑 크게 다르지 않잖아"라는 말에 경미는 그 뒷말을 알 거 같다.

현상의 부모는 모두 연로했고 한마디로 양친이 다 경제력이 없었다. 현상의 형이 하나 있지만 결혼하고부터는 본가에 전혀 신경을 쓰지 않는 눈치여서 부모는 몇 푼 안되는 연금으로 근근이 살아왔고 대신 현상이 이따금 용돈이며 생활비를 대주고 있었다.그래서 결혼 후에도 가끔은 보조를 해야 한다는 걸 경미는 인지하고 있었다.

"내 월급의 반 드리기로 약속드렸어"라는 현상의 말에 경미는 어이가 없다.

동생이 뒤늦게 결혼을 하게 되었으면 형이라도 그동안 동생이 져온 짐을 나눠야 할 텐데 나 몰라라 한다는 것이다.

" 언제까지 우리가 대드려야 돼?"

" 두분 사시면 얼마나 사시겠니.."

즉, 양친 모두 세상을 뜨실 때까지 생계를 현상이 책임져야 한다는 말이었다.

둘의 월급을 합쳐봐야 얼마 안되는데 거기서 또 반

을 떼라니...

언제 집 장만 하고 아이 낳고 키우고 자신들의 노후 준비를 한단 말인가.

"거봐. 그래서 내가 걱정한거야"

의정은 전화너머에서 후, 하고 한숨을 내쉰다.

"이 결혼 하지 말까?"라는 경미의 말에 의정은 침묵한다.

하지만 이제 집도 비워 줘야 하고 예식을 파기할 경우 위약금도 상당하다. 아니, 무엇보다 양가의 반응에 경미는 크나큰 실망과 배반감을 느낀다.

"우리, 이 결혼 다시 생각해"라는 경미의 말에 현상의 눈이 휘둥그레진다.

"우린 뭐 먹고 살아. "

"우리 둘 다 벌잖아...그리고 내 사업 시작하면"

"당신 사업하려면 이미 늦었어. 나이 마흔에 무슨"이라고 경미가 싸늘하게 반응한다.

"너 안 굶겨. 하자 결혼 .예정대로"라며 현상이 그

녀의 손을 잡아 온다.

"일단 집은 비워줘야 하니까..."라며 그녀는 그 다음 결정을 해야 한다는 걸 느낀다.

의정이 아는 업자를 소개해줘 며칠 후 경미는 중고차를 한대 샀다. 그리고는 일주일간 연수를 받고 나자 어느 정도 운전에 자신이 붙었다.

이른 새벽, 그녀는 동해로 향했다. 아직 어둠이 가시지 않은 새벽 공기가 맑고 차갑다.

그렇게 한참을 달려 넘실대는 파도가 보이자 드디어 '해냈다'는 생각이 든다. 면허 딴 지 10년 만에 운전을 해 낸 자신이 대견스러웠고 부조리한 결혼을 파기한 것도 잘했다는 생각이 든다.

그렇게 밀려오는 파도를 바라보면서 이제 곧 해가 뜨려니 하자 아닌 게 아니라 바다를 붉게 물들이며 해가 올라오기 시작한다. 원룸이면 어떻고 10평이면 어떠랴...모든 것에서 해방돼서 살게 되었는데,라고 생각하자 내일로 다가온 이사가 이제 기다려지기까지 한다..

그때 전화벨이 울린다. 현상이다...

벨은 계속 울려 대지만 그녀는 받을 이유도, 여력도 없이 그저 솟아오르는 해와 달려드는 파도만 바라본다...

<동행>

민수는 잠시 담배를 피우고 오겠다고 나가놓고는 한 시간이 넘도록 들어오질 않고 있다. 그렇게 덜렁 호텔 방에 혼자 남겨진 수인은 오만가지 생각에 사로잡힌다. 휴대전화도 놓고 나가 연락할 방법도 없고 신혼여행에서 이런 일이 벌어지리라는 건 상상도 하지 못했기 때문이다.

가만히 앉아서 기다리는 게 능사가 아닌 거 같다 판단한 수인은 급히 카디건을 두르고 호텔 방을 나와 1층 프런트로 향한다.

그녀는 폰에 담긴 민수의 사진을 보여주며 여직원에게 묻는다. 혹시 이런 남자 못 봤냐고.

그 말에 여직원은 한참을 들여다보더니 아, 하면서 기억하는 눈치다.

수인은 그 호텔여직원이 가리킨 방향으로 차를 몰

기로 한다. 그쪽으로 가면 바닷길이 나오고 근처엔 울창한 숲이 있다고 했다.

그렇게 바다가 보이는 곳에 차를 세우자 그다음이 막막해진다.

해는 저물고 있고 이 광활한 곳에서 민수를 찾는다는 게 너무도 비현실적으로 느껴졌기 때문이다. 그래도 일단 찾아는 보자,하고 수인은 바다와 숲 사이를 두리번거리며 나아 간다...

민수의 이름을 아무리 소리쳐 불러도 어디서도 대답이 없다. 그가 혹시 자살이라도 한 건 아닐까,하는 생각이 그녀를 덮쳐온다. 하지만 왜?라는 의문이 든다.

둘은 지극히 자연스레 만났고 보통의 연애을 거쳐 순조롭게 결혼까지 이르렀다. 물론 그전에 서로에게 다른 사람들이 있긴 했지만 둘 다 혼자 된 상태에서 만나서 그건 다 지나간 일이라 여겼다.

그렇게 수많은 하객이 지켜보는 앞에서 혼인서약을 했고 민수의 차로 여기까지 달려와 신혼 첫날밤을 맞게 되었는데...

둘이 결혼에 이르는 과정 어느 한 지점에서도 누군가의 미움이나 원한을 산적이 없는 터라 그녀는 민수의 잠적을 도저히 이해할 수가 없다...

바다와 숲에 동시에 밤이 내리고 휘영청 달이 떠오를 때쯤 그녀는 다시 호텔로 길을 잡는다. 어쩌면 민수가 돌아와 있을지 모른다는 생각이 들었다. 하지만 그럴 경우를 대비해 민수의 휴대전화를 놓고 나왔는데 전화 한통 없는 걸 보면 아직인가 싶어 불안은 더욱더 증폭된다.

민수는 호텔 방에 없었고 드나든 흔적조차 없다. 그의 휴대전화는 아까 그 자리에 그대로 놓여있다. 조금의 자리 이동도 없이...

그러다 수인의 전화벨이 울려 그녀는 화들짝 놀란다. 민수구나 싶어 얼른 전화를 받아 '어디야!'라고 소리쳤다.

"민수가 없니 지금?"이라는 시모의 전화였다.

"아 어머니...잠깐 나갔어요. 전화 일찍 드렸어야 하는데"라며 그녀는 상황을 수습하느라 진땀을 뺀다. 그 전화를 끊고 나서 친정에도 전화를 해야 한다는 생각에 그녀는 거짓말을 하기로 한다. 민수가 피곤해서 먼저 자고 있는 중이라고...

그러다 그녀도 피곤해져서 스르륵 잠에 빠진다. 이 와중에도 잠이 온다는 게 신기했다. 그렇게 얕은 잠을 자고 있는데 방문이 열리는 소리가 들린다. 그 소리에 그녀는 두 눈이 번쩍 뜨인다. 하지만 방문은 여전히 닫힌 채였다. 혹시나 민수가 들어와 욕실에라도 들어갔나 싶어 욕실 문을 열어보지만 그곳엔 아무도 없었다.

그가 혹시 담배를 피우러 나갔다 교통사고라도 당했나 싶어 그녀는 얼른 인터넷 검색을 해 보지만 인근에서 사고가 났다는 기사는 어디에도 없었다. 도대체 이 남자는 어디로 간 걸까,살아는 있는 걸까, 별의별 생각이 꼬리에 꼬리를 물고 늘어져 그녀를 지치게 한다...그러다 보니 어느새 날이 밝았다.

프런트 여직원이 수인을 먼저 알아보고 인사를 건넨다.

"왜 혼자 내려오세요? 신랑님 아까 새벽에 올라가시던데?"

그 말에 수인은 기겁을 한다.

"남편을...보셨나요?"

"네?"하고 되묻는 여직원의 얼굴이 굳어지는 걸 수인은 분명히 보았다.

그리고는 그길로 수인은 다시 호텔 방으로 냅다 달려와서 문을 열어보지만 방은 여전히 비어 있었다.

그런데 그의 휴대전화가 없다. 아무리 뒤져도 민수의 전화기는 보이지 않았다. 그럼 잠깐 어디 시내라도 나갔다 온 거겠지,하고는 한참을 기다리지만 민수는 돌아오지 않았다.

그렇게 이틀째인 그날도 하루 종일 수인은 혼자 방과 호텔 주변을 왔다갔다 하며 시간을 다 써버렸다.

마치 자신을 단념시키려는 의도 같기도 하다. 하지만 무엇 때문에? 이제 호텔에 머물 시간도 하루밖에 남지 않았다. 그녀는 거의 다 포기한 심정이 되고 그러자 긴장이 풀리면서 졸음이 한꺼번에 몰려온다...한참을 잔 거 같다..

담당 형사 규혁은 수인의 죽음에서 타살의 흔적이 엿보이지 않자 자살이나 실족사 한 걸로 잠정 결론을 내린다.

신혼 여행 온 한 여자가 남자가 없는 틈을 타 투신한 것은 이런저런 무성한 뒷말을 낳아서 호텔 매출에 지장을 주기 시작했고 호텔은 이름을 바꾸고 리모델링 공사까지 들어가면서 이미지 쇄신을 꾀하였다.

그렇게 3년이 흐른 뒤 한 신혼 커플이 그곳을 찾았다. 그들은 이 호텔에서 한 여자가 투신했다는 소문을 알지 못하는 듯했다. 하기사 호텔 이름까지 바꿔버리고 리모델까지 했으니...

커플은 떨어져 죽은 수인이 묵던 방을 배정받았다.

그들은 방에 들어서자마자 부랴부랴 서로를 탐하며 침대에서 나 뒹굴었다...

그러는데 문에서 똑똑 노크 소리가 들려왔다.

"에이 누구야?"라며 남자가 샤워가운을 급히 걸치고 현관으로 가자 센서 등이 반짝인다. 문을 연 남자는 그 자리에 얼어붙어 움직이지를 못한다. 그동안 여자는 섹스 뒤의 나른함이 잠으로 몰려와 이미 잠들어버린 뒤였다.

"왜 그랬어 민수씨..."라고 하는 문밖의 여자는 길다란 하얀 원피스 차림이었고 자세히 보니 발이 없었다.

"수인아.."

"당신 얼마나 찾았는데..."

"미안...너한테 다 하지 못한 말이 있었어...말했어야 하는데"

"날 사랑한다고 했잖아 그래 놓고...다른 여자가 있었으면 결혼까진 가지 말았어야지"

"널 사랑하지 않은 게 아니야. 다만...다만...저여자도 사랑했어. 내가 버릴 수 없는 여자야"

"그래? 그래도 내 장례식엔 왔어야지"라며 그녀가 그의 손을 잡아 끈다.

그는 자기도 모르게 발 없는 그녀에게 끌려 긴 복도를 걸어가고 있었다..

3년 만에 같은 층에서 같은 추락사가 발생한 게 형사 규혁은 아무래도 3년 전 그 사건과 연관이 있다는 생각이 든다. 그래서 좀 더 파고들어야겠다는 생각을 하면서 현장을 뒤로 하고 서로 돌아간다. 그렇게 규혁의 차는 드넓은 봄 바다와 울창한 숲 사이를 굉음을 내며 달려 간다.

<어떤 재회>

우혁은 너무나 태연하게 전화를 걸어왔다. 지난번 그렇게 윤서를 모욕해놓고 그는 아무 일도 없었다는 듯이 그녀의 안부를 묻는다. 잘 지냈냐고...

설마 연락이 올까 싶어 전화 차단까지는 하지 않은 그 상대로부터 연락을 받으니 윤서는 막막하고 할 말이 없다. 죽은 전처의 처가에는 가면서도 정작 결혼을 전제로 사귀는 윤서의 부모는 보러 오질 않았던 그였다. 그러면 이미 끝난 얘기 아닌가 해서 윤서는 이를 악물고 그를 자신의 일상에서 몰아냈다. 그랬다고 생각하였는데 어느새 그는 쓱 문을 열고 그녀의 일상에 한발을 들여놓았다.

"그렇지 뭐...우혁씬 잘 지내고? "

여전히 예 처가에 자주 가는지가 궁금했지만 그걸 묻는다는 게 너무 유치한 거 같아 윤서는 그만 둔다.

"사정이 좀 있어 . 지난번엔 네게 얘기하지 못했는데"

"무슨 사정..."

그가 애써 변명하려는 게 오히려 윤서에게는 반감만 일으켜서 그녀의 마음은 불편하기만 하다. 옛사람에 대한 미련, 외부의 시선, 그런 것들을 윤서보다 우위에 뒀기에 이루어진 이별 아닌가. .그래놓고...

"우리 좀 볼까?" 라는 우혁의 말에 윤서는 대답이 나오질 않는다 . 이제 겨우 가라앉힌 이별 후유증을 또다시 경험할 수도 있다는 불안감, 아니, 이별 과정에서 보인 우혁의 비열했던 모습, 이런 것들이 마구잡이로 오버랩 돼서 그녀를 혼란에 빠뜨린다.

"나중에 연락할게"라고 그녀는 서둘러 전화를 끊는다. .다시는 보고 싶지 않은 사람...

그러나 그날 저녁, 그녀의 퇴근 시간에 맞춰 우혁은 회사 앞으로 그녀를 만나러 왔다.

그가 입구 유리문 너머에 딱 버티고 있는 걸 본 순간 윤서는 숨이 턱 막혀왔다. 이 사람한테 이런 면도 있었나 싶게 그는 너무나 태연하게 그녀에게 미소까지 날렸다.

그녀는 다신 흔들리지 말자 하고는 주먹을 불끈 쥔

다.

"왜 이렇게 퇴근이 늦어. 한참 기다렸잖아"라며 그가 살갑게 군다.

"나 약속 있어"하며 그를 피하려는 윤서의 팔을 그가 힘주어 잡는다. 거짓말 말라는 표정이다.

"할 얘기가 있어서 왔어"라며 그는 제법 심각한 표정을 짓는다.

그와 식사까지 할 마음은 없었지만 우혁은 이미 예약을 해놓았다며 윤서를 근처 프렌치 레스토랑으로 데리고 갔다.

하지만 음식이 입에 들어갈 리가 없었다. 그건 우혁도 마찬가지였는지 스테이크를 깨작거리다 마는 정도였다. 디저트가 나올 무렵, 윤서는 아무래도 자신의 입장을 분명히 밝혀야겠다는 생각에 자세를 고쳐 앉으며 이야기를 꺼낸다.

"우리, 끝난 거 아니었어? 그때 당신은 죽은 전처를 택한 거 아냐?"

"순진하긴....내가 데리고 살 여자는 너지 그 사람이 아냐. 아니, 그 사람이 될 수가 없잖아"

"말장난 하지 마. 나, 딴 사람 소개 받기로 했어"

그 말에 우혁은 잠시 얼굴이 굳어지더니 이내 믿지 않는 표정을 짓는다.

"내가 너를 아는데, 우리 헤어진 게 언제라고, 아니, 난 너랑 헤어진 적이 없어. 그냥 잠시 안 본 거뿐이지...벌써 딴 놈을? 내가 널 몰라?"라는 그의 말을 윤서는 어떻게 받아들여야 할지 모르겠다. 하지만 분명한 것은 이번 만남이 순수하지 못하다는 것, 그것 하나는 분명했다.

"이젠 안 봤음 좋겠어"라는 그녀의 말에 "너를 위한 길이기도 해"라는 애매한 대답이 돌아온다.

나를 위한? 윤서는 점점 더 미궁으로 빠져드는 그의 이야기를 더 듣고 있다가는 돌아버릴 것만 같다. 그녀는 붙잡는 그를 뿌리치고 레스토랑을 뛰쳐 나오다시피 한다.

윤서의 부모는 지난번 우혁을 소개받기로 해놓고 바람을 맞은 후로 그의 이야기라면 진저리를 쳤다. 그렇지 않다 해도 이제는 더 이상 그를 언급할 일이 없기에 윤서는 그날 우혁과의 만남을 굳이 이야기할 필요를 느끼지 못한다.

오지 않는 잠을 애써 자려고 뒤척이다 보니 벌써 새벽이 깊어간다. 윤서는 머리맡의 폰을 집어 아무 앱이나 클릭한다. 그러다 '대습상속'이란 문구를 본 거 같다. 이게 뭐지? 하고 클릭한 그녀는 단숨에 글을 읽어내려간다. 다 읽고 나자 "너를 위한 길이기도 해"라던 우혁의 말이 그녀의 뒤통수를 후려친다. 나를 위한...

그렇다면 우혁은 죽은 아내 몫의 처가 상속을 노리고 지금까지 그 집엘 드나든다는 것일까, 하는 생각이 든다. 설마...하면서도 돈에는 치밀하고 악착같은 우혁의 성격을 놓고 보면 절대 아니라고도 할 수 없는 노릇이다. 상속과 윤서를 동시에 다 갖겠다는 그의 야욕이 무섭게 느껴진다. 무서운 사람....

하지만 사흘 뒤 퇴근무렵 걸려온 우혁의 만나자는 전화를 윤서는 거절하질 못한다.

"잘 지냈어?"

고작 사흘만인데 이번엔 오래 못 본 사이나 되는 양 그가 물어온다. 이 사람의 정확한 의중은 뭘까?

그러고 있는데 "다 너랑 잘 살려고 하는 거야"라며 그가 쐐기를 박는다.

윤서가 절레절레 고개를 젓지만 우혁은 이야기를 기어코 매듭짓겠다는 결연한 의지를 내보인다.

"돈 때문이야?"라며 윤서가 먼저 이야기를 꺼내자 "무슨 돈?"이라며 우혁은 알아듣지 못하겠다는 식의 반응을 보인다.

이렇게 되면 윤서로서는 더 이상 이야기를 이어나갈 명분도 이유도 없다. 아니, 우혁과 마주 앉아 있다는 자체가 부조리했다.

"갈래 나"하고 그녀가 일어나자 "후회 안 하지?"라며 우혁이 그녀를 쏘아보며 말한다.

집에 오는 택시 안에서 윤서는 모든게 번잡스럽고 벗어나고 싶다는 생각만 든다.

집에 와서 샤워를 마치자 온몸에 나른한 피곤함이 몰려들어 그녀는 잠자리에 든다.

"남자 잘 만나".

다음날 아침 밥상머리에서 윤서의 부친이 퉁명스레 이야기한다. 우혁과 다시 보고 있다는 걸 마치 눈치 채기라도 한 듯이.

"아무도 안 만나. 나 결혼 안 해"라고 윤서가 대답하자

"니가 나이가 있어 그렇지 뭐가 딸려. 우리 죽으면 니가 다 물려 받는 건데"라는 윤서모의 말에 윤서는 왼쪽 가슴에 콕콕 찌르는 통증을 느낀다.

그거였어...

우혁이 노린 건 옛처가의 대습상속분과 외동인 자신이 물려받을 전 재산이라는 생각에 이르자 갑자기 속이 메스껍다. 그녀는 수저를 내려놓고 급히 욕실로 뛰어 들어 간다.

그리고 그날은 월차를 쓰기로 하고는 약을 털어놓고 잠에 빠졌다.

"난 노력했어 너랑 다시 잘 해보려고"

우혁의 성마른 메시지를 받은 건 그날 밤이 다 돼

갈 때였다.

윤서가 답을 안해도 그는 계속 메시지를 보내왔다.

윤서는 아무래도 한마디 해야 할 거 같다.

"노력했다구? 내가 모를 줄 알아?"

그 말에 상대는 뜨끔해 하는 눈치다. 한참을 답문이 없어 윤서가 폰을 내려놓는데 다시 메시지가 왔다.

"다 좋자고 한 일이야. 그리고 널 사랑해."라는 우혁의 말에 윤서는 '니가 원하는 건 돈밖에 없잖아!' 라고 소리치고 싶은 걸 간신히 참는다.

"우리 안 맞는 거 같아. 이젠 연락하지 마"라고 그녀가 답문을 보내자마자 그로부터 전화가 걸려온다. 벨은 한참을 울리다 끊어진다. 이참에 그의 번호를 차단하자고 마음먹지만 왠지 할 수가 없다. 그러자 또다시 벨이 울린다. 그녀는 그가 자주 하던 대로 음성 사서함으로 돌려 버린다.

며칠 후 그가 회사 앞으로 다시 찾아왔을 때 윤서는 그에게 달려가 포옹하고 싶은 걸 간신히 참는다.

그러자 그런 그녀의 마음을 알아차리기라도 했는지

그가 윤서에게 다가온다.

윤서가 울먹거리며 아무 말도 못하자 그가 와서 그녀를 꼭 안아준다.

"뭐가 됐든 우리가 같이 살면 되는 거야. 다만 시간을 좀 늦추는 거 뿐야"

'재혼한 사위에게는 대습 상속이 안 된다'는 구절이 그녀를 스친다.

하지만 그가 죽은 처 대신 상속을 받든, 자신이 외동임을 노리고 접근했든 윤서는 그가 그대로 가버릴까 봐 가슴 졸였던 지난 며칠간의 불안과 슬픔만 떠오른다.

"우리 야외로 빠질래?"

우혁이 그녀의 눈을 바라보며 묻는다.

"늦지 않았어?"

"가서 일박하고 내일 곧바로 출근하면 되지"라며 그는 세워져있는 자기 차로 윤서를 이끈다.

윤서는 홀린 듯 그에게 손을 잡힌 채 그의 세계 속으로 끌려 들어 간다.

<다짐>

"나 결혼해"라고 전화 너머에서 미경이 이야기한다. 언제 해도 할 재혼이라 여겼지만 경수는 전처인 그녀로부터 직접 들으니 오만가지 생각이 든다. 이혼한 지 1년도 안돼서 하는 재혼이다 보니, '혹시 결혼생활 중에?"라는 의혹도 아주 없는 건 아니지만 이제 와서 설령 그렇다 해서 달라지는 건 없다.

그는 쿨하게 축하해주기로 한다.

"근데, 누리좀 당신이 맡으면 안돼?"라고 미경은 작심하고 말한다.

재혼을 하게 되었으니 아이를 데려가라는 뜻이다. 갈라 설 때는 양육권을 갖고 그리도 집요하게 늘어지고 합의한 양육비 이상을 매번 요구하더니 이제는 아이를 데려가라는 그녀가 야비하기만 하다.

"재혼 상대가 애를 거추장스러워하나?"

"딱히 뭐...근데, 그쪽도 애가 있어서..그 애, 전처한테 주고 오라고 했거든"

요는, 둘 다 아이들은 떼놓고 합치기로 했다는 것이다.

서로 좋아서 아이를 낳을 때는 언제고 이제 와서는 버리지 못해 안달 난 둘의 이야기를 들으며 경수는 씁쓸함을 너머 욕지기가 나는 걸 간신히 참는다.

"이번 주말 어때? 내가 누리한테 얘기해 놓게"라며 미경은 일방적으로 약속을 정하고 전화를 끊어 버린다.

대학 선배의 소개로 만나 그 나름 뜨거운 연애 기간을 거쳐 혼전임신까지 해서 결혼했다면 갈라서지 않는 게 맞는 일이었다. 하지만 5년의 시간은 서로에 대한 관심과 애정을 사그라 들게 만들었고 가끔은 서로를 무시하고 냉대하게 만들었으며 나중에는 서로 밥 먹는 모습까지 보기 싫어져서 둘은 이혼에 '합의'했다. 그리고 아이 누리는 미경이 맡기로 했다.

그렇게 1년이 채 안돼 그녀는 다른 남자에게 간다고 아이를 데려가라고 한다. 뭐가 그리 급해서 ...씨

발, 경수는 욕이 튀어 나온다.

회사 근처 국밥집에서 미경의 전화를 받은 경수는 밥이 체하는 느낌이다. 식당을 나와 그는 곧바로 약국으로, 그리고는 텅빈 사무실로 온다. 오늘 미경의 재혼 통보만 충격이 아니었다. 그날 아침, 현주는 출근하자마자 이달까지만 다니겠노라 사퇴 의사를 밝혔다. 이유는 결혼이라고 했다. 요즘은 다들 맞벌이 못 해서 안달인 세상에 경수는 그런 그녀가 이해가 안 되었지만 마흔이 다된 여자가 내린 결정을 뭐라 할 수도 없어 축하한다는 얘기만 하고 곧바로 구인 광고를 냈다. 아직 구직자는 하나도 나타나지 않고 있다.

경수가 이 회사를 차린 건 아들 누리가 세 살을 막 넘기고였다. 아이는 제법 '아빠'를 우렁차게 발화하였고 그런 아이를 생각한다면 언제까지나 쥐꼬리만 한 월급장이로 살 수는 없다는 생각에 자기 사업을 시작한 것이다. 온라인으로 소가구, 생활용품을 수입해 파는 일이었고 거의가 중국에서 들여왔다. 그러다보니 중국어 능통자가 필요했고 그래서 '중국어 관련 능통자 우대'라는 구인 광고를 내서 현주를 채용하게 되었다.

현주는 대학 졸업 후 줄곧 학원에서 중국어를 가르쳤다고 했고 딱히 회사 경력이 없었다. 그래도 경수는 그녀의 언어능력만 보고 뽑았다. 그렇게 그녀는 거의 3년을 그와 한솥밥을 먹었는데 이제 시집을 간다며 회사를 그만두겠다고 한다.

축의금은 한 30이면 될까...경수가 그런 생각을 하고 있는데 사무실 문이 살짝 열린다. 퇴근한 줄 알았던 현주가 고개를 살짝 들이민다. 그녀의 한 손에는 묵직한 게 담겨있는 비닐이 들려 있다.

"다시 생각해 보면 안돼요? 그동안 정도 많이 들었는데"라며 경수가 그녀를 뒤늦게 붙잡으려 하자 그녀는 사 온 족발을 한점 집어주며 "저 때문에 갑갑하셨죠? 말도 잘 못 알아 듣고 눈치도 없고" 하면서 미안해하는 기색이다.

하기사 20대 어린 여자였으면 '보는 즐거움'이라도 있었겠지만 나이 마흔이 다된 노처녀다 보니 솔직히 사무실에 들어서면 우중충한 느낌이 드는 건 사실이었다. 하지만 자기에게는 아내가 있고 자식이 있었기에 경수는 현주를 놓고 이상야릇한 상상은 하지 않으려고 그 나름 노력하였다. 그러다 보니 든든한 우애나 신뢰, 우정같은 게 둘 사이에 싹 텄는데, 이제는 아내도 가버리고 현주도 간다고 한다. 그 생각에 그는 주책맞게도 눈물이 찔끔 나온다.

"어머 사장님 , 우세요?"라며 현주가 안 그래도 큰 눈을 동그랗게 뜬다.

"아니..뭐가 들어가서.."라며 경수는 슬쩍 눈물을 훔쳐낸다. 그리고는 현주가 사온 소주를 종이컵에 붓다가 묻는다. "현주씨도 한 잔 할래?" 그 말에 현주는 주저하더니 또 다른 종이컵을 내밀며 "주세요"라며 생긋 웃는다.

그러고 보니 5년 동안 한 번도 이런 자리를 마련하지 않았다는 생각이 슬며시 그를 스치고 간다. 해서 그는 꾹꾹 눌러 그녀의 종이 잔에 술을 붓는다.

"신랑은 좋겠네...이렇게 능력 있는 와이프를 데리고 살아서"

"어머? 요즘 그런 표현 안되는데? 같이 사는 거지,

뭔, 데리고 살아?"라며 그녀가 살짝 눈을 흘긴다.

이상하다 . 오늘따라 송현주 저 여자가 나를 자극한다,라고 그가 생각한다. 지금 보니 나이는 비록 들었지만 젊었을 적엔 꽤나 예뻤을 얼굴이라는 생각이 든다. 경수는 그녀의 손을 한 번만, 딱 한 번만 잡고 싶다. 하지만 맨정신에 어떻게 그러랴....

둘이 어떻게 근처 모텔까지 갔는지는 모르겠지만 먼저 잠을 깬 경수 옆에는 알몸의 현주가 누워 있다. 혹시나 자기가 술김에? 하는 생각에 그가 이불을 들춰보자 자신도 알몸이었다. 그렇다면...

그때 현주가 눈을 뜬다. 그러더니 그녀는 당황해하면서 주섬주섬 자기 옷을 주워입다가 중심을 잃고 방바닥에 나동그라진다. 그런 그녀를 경수가 일으키려 하자, 그녀가 매섭게 그 손을 뿌리친다. 그리고는 한참을 노려보더니 다급히 모텔방을 뛰쳐 나간다.

이 관계도 내가 망쳐버렸구나...하는 생각이 들자 그는 명치가 저릿해온다.

혹시나 현주가 있을까, 기대하는 마음에 사무실로

돌아왔지만 현주의 책상은 그새 말끔히 치워졌다. 술이, 아니 자신의 부주의가 모든 걸 망쳤다는 생각에 그는 사과를 하고 싶어진다. 하지만 그녀가 받지 않을 거 같아 그녀의 연락처에 주던 시선을 거두며 밖을 본다. 그러자 청명한 한겨울의 아침 햇살이 눈부시게 빛나고 있다.

그는 결심한듯 전처 미경에게 전화를 건다.

"누리, 지금 데리러 간다"

그 말에 미경은 살짝 당황한 눈치다.

"주말에 오라니까?"

"내가 니 종이야? 시키는 대로 하게?"라고 그가 버럭 소리를 지르자 저쪽은 놀랐는지 아무 말도 없다...

아이와의 관계만은 제대로 정립하고 지켜가기로 그는 마음먹는다. 그리고는 채근당하지 않기 위해 현주의 그달 치 월급을 이체하고 사정이 있어 결혼식에는 못 갈 거 같다는 문자를 보낸다. 그리고는 곰곰 생각하다가 돈 10을 축의금으로 이체한다. 축의금 30은 역시 과했다는 생각이 든다...뭐든지 오버하면 깨지는 게 세상사라는 걸 그는 다시 한번 절감한다.

그리고는 그가 컴퓨터를 켜자 중국 거래처에서 담

당자 양의 메일이 와있다. 양, 그의 서툰 영어가 오늘은 너무도 정겹다. 생은 오묘하다. 들고 남이 어쩌면 이리도 정확할까. 빈 자리는 다른 게 와서 채워준다・・・

그러다 그도 서툰 영어로 양의 메일에 답을 하다 보니 가슴이 따스해진다...

내일 누리를 데려와서는 실패없는 생을 살리라, 그는 다짐한다.

<겨울집>

tv 예능프로 <세계를 날다>의 pd라며 여자는 전화 너머에서 출연을 요청한다. 아니 요청이라기 보다는 '나와야 한다'는 식이다. 성탄 특집인데 천문학 전공자인 자신과 무슨 상관이 있는지 의현은 궁금하기만 하다.

"동방박사들이 별 보고 마굿간까지 왔잖아요"

오라, 별 이야기를 해달라는 것이구나 하고는 그는 그게 뭐 어려우랴 싶어 출연을 승낙했다.

그렇게 의현은 pd 동희와 만나게 되었다.

녹화방송이라 꽤 길게 진행되었고 녹화가 밤늦게 끝나고 귀갓길에 의현은 동희가 차가 없는 걸 알고는 그녀의 오피스텔까지 데려다 주었다. 동희는 폐가 된다며 한사코 콜을 부르겠다고 하였지만 밤에 여자 혼자 택시에 태운다는 게 영 불안하고 찜찜해 그는 고집을 부렸다. 그렇게 그날 밤 그는 그녀의 오피스텔까지 갔고 잠깐 들어와 차를 마시고 가라는 그녀의 요식적 제안을 정중히 거절하고 차를 돌렸다.

그리고는 2주 후, 그날 저녁 ,방송이 나간다며 꼭 보라는 동희의 전화가 걸려왔다.

그날 밤 의현은 자신이 난생처음 tv에 나오는 걸 보면서 쿡쿡 웃었다. 고지식하고 완고해 보이는 전형적 '학자'의 모습에 끌끌 혀를 찼다. 방송이 끝나자 여기저기서 메시지며 전화가 걸려왔다. 너 맞아? 라고.

그 순간 의현은 pd동희가 갑자기 보고 싶어진다. 만나서 저녁이라도 먹고 싶다.

동희는 이번에도 한사코 사양했지만 결국 그 다음 날 방송국 로비에서 둘은 다시 만나 근처 프렌치 레스토랑으로 향했다. 차를 타고 이동하자는 의현의 제안에도 그녀는 눈길을 걷고 싶다며 걸어가기를 고집했고 급기야 꽈당 미끄러졌다. 동희의 얼굴은 금세 빨갛게 달아올랐고 일으켜주는 의현에게 계속 '고맙다'는 말을 해댔다.

디저트가 나올 때까지도 동희는 슬쩍슬쩍 엉치 부분을 매만지는 시늉을 했다.

"병원 가봐야 하는거 아니예요?" 의현이 묻자

"아뇨. 좀 뻐근해서요"라며 그녀가 부끄러워 한다.

아마도 자기 또래일 것이라고 의현은 생각한다. 문제는 기혼이냐 아니냐인데 손에 반지가 없다. 물론 그것으로 단정지을 수는 없지만 . 미혼이길 그는 은근 기대한다.

디저트를 다 먹어갈 즈음, "제가 연락해도 돼요?" 라며 그는 용기를 내본다. 그 말에 동희가 물끄러미 그를 쳐다본다. 동희는 미간을 찌푸리면서 시선을 모아 그를 바라본다. 마치 어디선가 본듯한 얼굴이라는 듯이. 그러자 의현도 그 얼굴이 낯설지가 않다.

"다음에 만나면 제가 사는 거예요"라고 동희는 에둘러 승낙을 한다.

바다가 보이는 펜션을 잡았노라며 동희는 전화 너머에서 사춘기 아이처럼 좋아라 한다. 대신 트윈베드로 잡았다는 말에서 의현은 빵하고 웃음이 터진다. 둘 다 '속초'를 동시에 외쳤기에 그곳 어딘가에 펜션을 예약했다는 것일테고, 겨울 동해야 누구나 가고 싶어하니 그리 신기할 것도 없었지만 한가지 마음에 걸리는 것은 서로의 얼굴이 낯설지가 않다는 것이었다. 우리가 인연인가 보다, 서른 훌쩍 너머 이제야 내 여자를 만났구나,하고 의현은 잔뜩 기대를 한다.

의현은 동희가 바다를 감상할 수 있도록 감속해서 차를 몬다. 바다가 가까워지자 동희는 좋아서 어쩔 줄을 ㅁ른다. 그러다 문득, '왜 천문학을 공부했냐'고 그녀가 물었다.

"그냥 별을 보는게 좋았어요. 조숙했는지...어릴때 외롭다는 느낌을..그래서 별을 보게 된 거 같아요"라고 의현이 대답하자 "서울은 이제 별 보기가 정말 하늘의 별 따긴데"라며 동희가 시무룩해 한다. 어쩌면 별것도 아닌 일에 시무룩해 하는 그녀가 귀여워 의현은 운전에서 자유로운 한 손을 뻗어 슬쩍 그녀의 손을 잡는다. 동희는 잠깐 움찔하더니 그대로 자기 손을 그에게 맡긴다.

그리고 그날 밤 둘은 펜션에서 한몸이 되었다.

다음 날 아침, 의현이 눈을 떴을 때는 동희가 인스턴트 음식이며 밥을 전자레인지에 덥혀서 아침 식탁을 차리고 있었다. 둘은 오래된 연인들처럼 두런두런 이야기를 나누며 편하게 아침을 먹었다. 그러다 동희가 "실은 내 고향이 이 근처"라고 한다. 그말에 의현은 "어? 나도 이 근천데"라며 신기해 한다.

그렇다면 어릴 적 바닷가에 나와 놀 때 서로 한 두 번 마주쳤을 수 있고 그래서 서로에게서 기시감을 느꼈는지도 모른다.

아침을 먹고 잠시 해변을 걷기로 한 둘은 불어오는 강풍에 서로에게 밀착했고 그러다 살짝 몇 번 입을 맞추기도 하였다.

"나, 이제 논문 학기만 남겨놨거든. 그거 끝나면 유학갈 건데 같이 갈래?"라는 말에 "그거, 지금 청혼?" 하며 그녀가 생긋 웃는다. 그 말에 그는 그녀의 찬

손을 자기 외투 주머니에 넣어서 녹여 준다.

그렇게 둘은 결혼을 약속하였고 하루를 더 잤다. 두 번째 밤에 의현은 그녀 깊숙이 사정을 했다. 그녀는 따로 피임을 안 했다며 질외사정을 원했지만 그는 그렇게라도 그녀를 잡고 싶었다.

그리고는 올라오는 길에 의현은 길을 좀 바꿔 저수지를 지나친다.

저만치 결빙된 저수지를 보는 동희의 얼굴이 갑자기 어두워진다.

"왜 그래?"

"여기가 낯설지가 않아..."

"그거야 근처에서 자랐으니까"

"아냐. 그런 게..."라며 그녀는 차를 세워달라고 하고는 내려서 얼어붙은 저수지로 간다. 그리고는 골똘히 생각에 잠기더니 "맞아, 여기서 스케이트를 탔었어"라고 한다.

"위험하게 왜 그랬어"

하는데, 그녀가 몸의 균형을 잃고 휘청인다. 쓰러지는 그녀를 가까스로 붙든 의현은 곧바로 인근 병원으로 향했다.

눈을 뜬 동희가 제일 먼저 한 질문은 "당신 혹시 형제 있었어? 지금은 없는? 그러니까 어릴 때 죽었다던가?" 였다.

그 말에 의현은 기억을 모은다. 그러자 어린 날 눈부신 햇살 속에서 누군가의 장례를 치르던 생각이 난다. 그리고는,

"맞아. 나 쌍둥이라고 했어 엄마가. 근데 형은 어릴 때"

그 말에 동희는 꽂혀있던 링거를 빼 버리고 병실 밖으로 뛰쳐 나간다.

영문을 모르는 의현은 일단은 동희가 지금 온전치 않다는 생각만 하면서 그녀 뒤를 쫓아간다. 병원유리문을 밀고 나오자 어둠 속에서 동희가 흐느끼는 소리가 들려 온다.

"그게 당신 형이었다니. "

"그게 무슨 말이야?"

"나 어릴 때 아까 그 저수지에서 스케이트를 탔었

어. 그러다 갑자기 얼음이 갈라지면서 물에 빠졌지. 허우적대는데 지나가던 남자애가 뛰어와서 나를 구했어...그리고 걔는 물에 빠졌어“라고 한다.

순간 의현은 가슴이 쿵, 내려앉는다. 그럼...죽은 우리 형이...하다가 그도 몸을 가누지 못하고 쿵 하고 맨땅에 주저앉는다.

"아니지? 니가 다 꾸며낸 거지?"하더니 손등으로 벽을 탕탕 쳐댄다. 그러자 검붉은 피가 그의 손등에서 흘러 나온다.

장례식이 있던 날은 햇살이 눈부셨다. 그때 검은 원피스를 입은 여자 애가 어른들 틈에서 서럽게 울고 있었다.

"아이는 지웠어"라며 겨울이 끝날 즈음 동희로부터 메시지가 날아왔다.

의현은 쓰던 논문을 멈추고 하늘로 가버린 자신과 동희의 아기가 아마도 여아였을 거라는 생각을 한다. 동희를 닮아 희고 눈이 커다란.

<언젠가 우리는>

연희가 취직 소식을 알리자 현우는 정말? 하더니 야, 밥 사라, 하면서 자기 일처럼 좋아한다. 연희는 오랜 백수 생활 끝에 드라마 외주 제작사에 기획 작가로 합격했다. 대학 다닐 때 무심코 소설 한편 써서 대학신문에 투고한 게 덜컥 실리자 막연히 작가의 꿈을 꾸게 되었지만 현실은 녹록지 않았다.

대학 졸업 후 친구들은 죄다 취직에 혈안이 돼 있을 때 연희는 신춘문예니 문예지 신인상에 응모했고 결과는 늘 낙방이었다. 그렇게 20대를 다 보내고 서른이 돼서야 신생 기획사에 들어가게 된 것이다. 물론 이런저런 작은 아르바이트는 했었고 무역회사에 취직한 현우는 가끔 들러, 내가 많이 버니까 밥 사준다,하면서 곧잘 밥이며 술을 사주곤 했다. 나, 그냥 이렇게 늙음 어쩌지? 하고 연희가 신세 한탄이라도 할라치면, 좋은 날 온다. 걱정마 ,라며 위로도 아끼지 않던 현우였다.

“기획 작가면 글도 쓰냐?”

퇴근하고 만난 현우가 저녁을 먹으며 물었다.

“내 글을 쓰는건 아니고 드라마 소재 발굴하고 가끔은 방송사 컨택도 하고 뭐 그런..”

“야, 너 대박 멋있어 보인다.”

“지금은 다 낯설고 서툴러”

그렇게 배우는 거라며 현우가 생맥주를 들이킨다. 학교 때와 다름없이 그는 지금도 삐쩍 말랐고 철 지난 굵은 뿔 테 안경을 여태 쓰고 있다.

“나 첫 월급 타면 너 안경부터 바꿔줄게”라고 연희가 씩 웃는다.

현우와 연희는 대학 같은 과였다. 경영학과에 여학생이라고는 연희 하나여서 당연히 관심을 받았고 실제로 대시를 해오는 남학생들도 없지 않았지만 조금은 개구지면서도 악의 없이 자신을놀려 먹는 현우에게 마음이 갔다. 현우는 수업이 끝나면 거의 운동장으로 직진해 농구 하기에 여념이 없었다.

둘이 처음 친해진 건 신입생 환영회였다. 술이라고

는 입에 대본 적도 없는 연희가 선배들이 주는 술을 죄다 마시고는 인사불성이 됐을 때 그런 연희를 등에 업고 근처 병원으로 달려간 게 현우였다.

"야 준다고 다 받아 먹냐? 바보"

한참을 게워낸 뒤 링커를 꽂고 있는 연희에게 현우가 타박을 했다. 술자리에서 정신없이 해댄 자기소개여서 연희는 현우의 이름이 생각이 안 났다. 그러자 현우가 , 너 지연희지? 라며 연희의 이름을 기억한다는 티를 냈다. 그리고는 나 강현우라고 했다.

아 그랬지...라며 연희는 두서없이 자기소개를 하던 술자리에서의 현우를 기억해냈다.

"근데 너 다이어트 좀 해야겠다. 여자애가 그렇게 무겁냐"라며 현우는 코를 찡긋거리며 웃는다. 그런 현우에게 연희는 살짝 눈을 흘겼다. 그렇게 둘은 친해졌고 현우가 밤늦게까지 농구 하는 날이면 연희는 도서관에서 현우 가방을 지켰다.

어느 날, 현우가 입대 영장 나왔다고 했을 땐 둘이 나라가 망하기라도 한 것처럼 붙잡고 엉엉 울었던 기억이 있다. 그렇게 현우가 군대 가고 나사 연희는 하루하루가 말할 수 없이 무료하고 기운도 없었다. 현우의 빈자리가 그렇게 크게 느껴질 줄 몰랐던 연희는 이후 틈나는 대로 면회도 갔고 현우가 휴가 나온 어느 여름엔 함께 부산을 다녀오기도 하였다.

그렇게 대학을 졸업하고 현우는 작은 무역회사에 취직이 되었고 그보다 먼저 졸업한 연희는 작가를 꿈꾸며 계속 고배를 마시고 있었다.

“오늘 밥값은 니가 내는 거다?”라며 현우가 넉살좋게 말한다. 야, 월급 타려면 멀었어, 하고 연희가 난감해하자, 그럼 자판기 커피는 니가 사는거, 라며 현우가 봐준다는 표정을 짓는다. 그러나 그날 밥이며 후식으로 나온 커피까지 모두 현우가 계산했다.

“참, 나 기획 일 하려면 운전해야 돼. 면접 때 할 거라고 했는데...”라며 연희가 말하자 , 배움 되지, 라며 현우가 느긋하게 말한다. “사실 요즘은 수능 끝나면 죄다 따는 게 운전면허잖아”라고 연희가 말하자, 현우는 자기 가슴을 탕탕 치며, 나 있잖아 나,라고 한다.

그렇게 해서 연희는 한동안 퇴근 후면 현우의 차로 운전을 배우기로 했다. 아는 선배한테 200주고 샀다는 현우의 차는, 과연 굴러가기나 할까 싶을 정도로 폐차 직전의 상태였지만 그래도 굴러가긴 했다.

연희는 특히 t 코스에서 애를 먹었고 참지 못한 현우가 내려! 라고 할땐 울음을 터뜨리기까지 했다. 그런 연희를 한참 달랜 후 현우는 다시 시범을 보였다. 그렇게 한강 고수부지 해가 넘어갈 즈음, 연희는 t코스를 마스터했다. 그러자 현우는 연희를 와락 껴안으며, 장하다 지연희!라고 소리쳤고 얼결에 연희도 그를 껴안고 기쁨의 눈물을 흘렸다.

그날 마침 연희가 첫 월급을 탄 날이어서 둘은 호텔 라운지로 저녁을 먹으러 갔다. 무리하지 말라면서도 현우는 제법 비싼 걸 시켜서 윤희의 눈총을 받았다.

그렇게 둘은 서울 야경이 한눈에 들어오는 라운지 레스토랑에서 저녁을 같이 했다. 그리고는 와인잔을 부딪치며 건배를 했다. “지연희의 t코스 완주를 기념하며!”라고 현우가 고래고래 소리지르는 바람에 주위에서 다 돌아보기도 하였다.

그리고나서 연희는 며칠 뒤 한 번에 면허를 땄다. 그날 둘은 또다시 서로를 얼싸안고 하마터면 뽀뽀까지 할뻔 했다.

“나 지난주에 소개받았는데”라며 얼마 후에 만난 현우가 자기 휴대전화에 담겨있는 한 여자 사진을 보여준다. 연희는 순간, 치킨이 목에 걸릴뻔했다. 잘 봐봐, 이쁘지? 현우가 자랑하듯 사진을 더 가까이 들이댄다 .

대학 4학년이라고 했다 여자는. 신촌 h대 불문과를 다닌다며, 근사하지?라며 현우가 계속 으스댄다. 그 말에 연희는 어이가 없어 그저 웃기만 했다.

10년을 만나오면서, 군대 면회까지 가서도, 부산을 같이 다녀와서도 아무 일도 없었던 우리 사이에 뭐가 있겠니...연희는 현우가 조금씩 멀어진다는 느낌을 받는다.

연희는 외부 투고 원고들을 꼼꼼이 체크했다. 그러자 팀장이 시놉 정도만 보고 간추리라고 조언한다. 채택할 수 없는 원고들이 태반이었지만 연희는 한 사람 한 사람에게 정중하게 거절 메일을 보냄으로서 양해를 구했다.

그러다 기훈의 원고를 접했다. 기훈은 반도체 회사를 다니면서 틈틈이 글을 쓴다고 자기소개에 썼다. 취미로 글을 쓰는 사람치곤 꽤 숙련된 느낌을 연희는 받았다. 그렇게 기훈의 원고는 곧바로 팀장에게 전해졌다.

현우가 있었기 때문인지 나이 서른이 될 때까지 연희는 변변한 연애 한 번 해본 적이 없고 기훈은 그런 풋풋함이 좋아서 연희에게 대시를 하였다.

그러나 연희는 왠지 현우에게 죄짓는 느낌이었다. 하지만 현우도 목하 열애 중이라고 하고...그러다 덜컥 결혼이라도 한다면...하는 생각을 하자 괜히 연희는 심통이 난다.

우리 모세의 기적 보러 갈래? 보름 정도 소식이 없던 현우로부터 한밤중에 전화가 걸려온다. 어쩐지 연락이 없던 차여서 ,그래? 가자, 하며 연희는 동의했고 둘은 며칠 전 연희가 구입한 중고차에 올라 서해로 향했다.

연희의 능숙한 운전을 보며 현우는 이게 다 자기 덕분인 줄 알라며 대견해 하였다.

그러다 연희는 현우의 '그녀'에 대해 조심스레 묻는다. 잘 돼 가? 그냥...내가 별룬가봐.. 현우는 둘 사이가 깨진 것을 암시한다. 잘 좀 하지,라며 연희가 현우의 등을 토닥거린다. 그러자, 너는? 하고 그가 물었다. 나? 아...누구 하나 있는데, 아직 모르겠어, 라고 연희가 대답하자 이번엔 현우가 연희의 등을 토닥이며 , 잘 해봐,라고 한다. 왜 이렇게 둘 사이는 좁혀지지 않을까...연희는 차선을 바꾸며 그런 생각을 한다.

그 섬에 가려면 물때를 잘 알아야 한다는 검색을 하고 온 터라 연희는 조심스레 가속페달을 밟는다.

그렇게 도착한 그 섬은 서울에서 그리 멀지 않았고 예전엔 바닷길 하나가 명소였다면 지금은 이런저런 부대시설이 들어서서 완전히 리조트 화 돼 있었다. 차를 파킹 시킨 둘은 케이블카와 도보 중에 도보를 택해 왼쪽으로 방향을 틀어 빨간등대와 요트장을 지나기로 한다. 등대 옆엔 낚시꾼들이 눈에 띄었다. 음, 좋다,라며 현우가 바닷내를 흡입하며 말했다.

그렇게 둘은 등대를 보고 다음은 아기자기한 이름들이 붙여진 작은 섬들을 둘러보았다.

배가 출출하다며 현우가 여기 식당이?하고 찾는다. 오는길에 지나친 몇 군데가 생각나 이번엔 연희가 앞장선다.

접시 가득 담겨나온 산 낙지에 현우는 잔뜩 겁을 먹는다. 너 못 먹지?라며 연희가 보란 듯이 낙지를 입에 가져가자 현우가, 대박! 하고 웃는다. 하지만 현우는 산낙지는 엄두를 내지 못해 대신 칼국수를 먹었다. 그러고 있자니 물 들어올 시간이 다 돼갔다.

둘이 거기까지 간건 열린 바닷길을 보러 간 건데 여태 딴짓만 했다는 생각에 남은 음식을 남긴 채 바다로 달려갔다.

다행히 아직 물길이 나 있어 둘은 모세의 기적을

카메라에 담을 수 있었다. 그리고는 여기저기 널린 해산물을 줍다보니 물이 코앞까지 들어와 있어 연희는 불안해졌다. 그러고 보니 바닷길엔 자신들 둘뿐이었다. 둘은 서둘러 육지를 향해 온 힘을 다 해 달렸다.

"왜 헤어졌어?"

서울로 돌아가기엔 너무 늦어 일박을 하기로 하고 잡은 숙소에서 연희가 물었다.

"그냥...."이라며 현우가 말끝을 흐린다. 그리고는 "어떤 놈인데?"라고 되묻는다. 응? 하던 연희가 아... 하고 작은 탄식을 하더니 찍어둔 바닷길 사진을 서둘러 기훈에게 전송한다. 좋겠다, 하며 현우가 등을 보이고 돌아눕는다. 그러는 현우를 보며 연희는, 우린 무슨 사이니? 하고 묻고 싶어진다. 왜, 둘은 번번히 서로를 놓쳤을까,라는 생각이 들 때쯤 연희는 스르륵 잠이 온다.

그리고는 아침 햇살에 연희가 눈을 떴을 땐 현우가 자기를 끌어안고 있는걸 알게 된다. 연희는, 얘 좀 봐? 하며 자는 현우를 밀쳐내자 현우는 데구르르 굴러 방구석에 가서 처박힌다. 그러고도 계속 자는 현우를 보며 연희는 쯧쯧 혀를 찬다.

연희가 세수를 마치고 방으로 돌아오자 현우는 그새 일어나서 이불을 개고 있다. 잘 잤어?라며 연희가 화장을 하기 시작한다. 그러자 현우가 거울로 물끄러미 그녀를 보다 묻는다. 우리 무슨 사이냐고. 그 말에 연희는 화들짝 놀라 아무 말도 못 한다. 현우는 씻고 올게,하며 욕실로 들어 간다.

어젯밤이 기회였는데, 하며 연희는 안타깝다. 매번 어긋나는 둘이 평생 그렇게 평행을 달릴까 봐 그녀는 겁이 난다. 그러고 있는데 현우가 비누도 다 씻어내지 않은 채 방으로 돌어온다. 내 말 신경 쓰지 마, 라며 옷을 주섬주섬 입는다. 왜 신경 쓰면 안돼?라고 연희가 묻자 ,그 놈 있다매,라며 뵤루퉁해서 대답한다. 그 순간 연희는 쿡 웃음이 나온다.

우리 다음엔 한 일주일 여행 같이 갈까? 남도가 그렇게 이쁘다던데, 연희가 말하자, 그놈하고 가라,며 툴툴댄다.

서울로 올라오는 길은 현우가 운전을 한다. 둘을 아무리 한방에 몰아넣고 한 달, 아니 일 년을 가둬놔도 안전한 사이라고 생각하자 연희는 왠지 애처로운 기분이 들어 핸들에서 자유로운 현우의 한 손을 가만 잡아본다. 그러자 현우가 그런 연희를 물끄러미 보다 말한다. 그놈이랑 헤어지면...잠시 뜸을 들였다, 나한테 시집 오든가... 아무렇지 않은 척 내뱉고 현우는 다시 운전에 몰두한다. 우리가 무슨 사인데? 라고 연희가 되물으려다 만다. 대신 그럴 일 없을거니까 헛꿈꾸지 마셔,라고 쏘아붙인다. 그러시든가,하고 현우가 대꾸한다, 이따 서울 가면 내가 안경 바꿔줄게, 연희가 말하자, 그럴래? 하고 현우가 바보처럼 씩 웃는다.

<파리의 연인>

영민은 오늘 셰익스피어 앤 컴퍼니 서점에서 사 왔다며 낡은 영국 고서적 사진 한 장을 첨부했고 그 곳을 기억하냐고 물어왔다. 영화 <비포선셋>에서 남녀 주인공이 처음 만났다는 그 곳을 지은은 당연히 기억한다.

태어나 처음 먹어본 기내식이 맞지 않아 고생한 그녀는 괜히 파리여행을 계획했다는 후회마저 들 정도로 프랑스 국적기 승무원들은 불친절했고 체기는 12시간 내내 계속됐다.

몇 번이나 소화제 좀 달라고 해도 승무원들은 알겠다는 답을 하고는 감감무소식이었다.

그도 그럴 것이 한국인이 대부분인 승객들은 이륙하고 얼마 지나지 않아 여기저기서 화투판을 벌이고 술을 요구하며 계속 소리를 질러 대고 있었다. 그러니 승무원들도 무시하는 것이다.

그렇게 파리로의 긴 여정은 설레임에서 시작돼 이

내 실망과 피로감으로 변했다. 내릴 수만 있다면 지금이라도 내려 되돌아가고 싶은 심정이 다 된 지은이었지만 드골공항에 자기 이름이 쓰인 피켓을 들고 있는 영민을 보는 순간 이젠 되돌릴 수 없다는 느낌을 받았다.

지은이 피켓 앞으로 다가가자 영민은 양지은씨?하며 비앙브뉘 하고 불어로 그녀를 맞았다. 그렇게 그는 공항 밖에 주차된 자기 차로 지은을 에스코트하고 만신창이가 된 지은은 소화제부터 찾았다. 차에 시동을 걸며, 이런 분들 꽤 많아요,라며 영민은 미리 준비해둔 소화제를 건넨다. 오늘 첫날이니까 교과서 투어를 하겠단다. 그게 뭐냐고 했더니, 증명사진 찍으러 온거 아니예요? 라며 조금은 시니컬하게 그가 말했다. 이른바 파리, 하면 떠오르는 이미지 투어를 하겠다는 것이다. 에펠탑, 샹젤리제 거리, 몽마르트르 언덕, 노틀담 성당...

지은은 다시 김이 빠진다. 그러자 그가 눈치챈 듯, 그전에 잠깐 들를 곳이 있다며 맨 처음 그녀를 안내한 곳이 바로 셰익스피어 앤 컴퍼니 서점이었다. 영화 <비포선셋>에 나온 곳이라며.

신상품 런칭 시기에 웬 휴가나며 팀장은 볼멘 소리를 했지만 지은은 어떻게라도 쉬고 싶었고 그곳이 파리면 좋겠다는 생각을 막연히 했다. 왠지 그곳에 가면 숨통이 트일 것 같다는...먼저 유럽을 돌고 온 선배 윤은 그런 지은에게 한층 더 바람을 넣었다. 파리는 공기부터가 다르다고...공기가 다를 거까지야, 하면서도 지은은 지난번 엉망으로 끝낸 연애의 후휴증까지 겹쳐 만신창이가 다 돼 있었다.

어렵게 휴가를 낸 그녀는 처음엔 패키지 투어를 생각했지만 사람이 싫어 떠나면서 낯선 곳에서까지 사람들한테 부대끼는 게 내키지 않아 여행사에 왕복 항공편만 끊겠다면서 혹시 현지 가이드를 연결시켜 줄 수 있냐고 물었다. 그렇게 해서 소개 받은 사람이 영민이었다.

영민은 여기서 불문학 박사를 수료하고 몇 군데 대학 강사를 하다 프랑스에서 박사를 다시 취득하고 그 곳에 아예 눌러 앉았다고 한다. 주로 소설번역과 가이드를 하며 지낸다고 했다.

"좀 있으면 에펠탑이에요. 올라가 볼래요?"라며 그가 운전하며 물었다. 한국엔 아예 안 돌아갈 거냐고 지은이 묻자, 안 맞아요,라고 대답한다. 그러면서 그는 프랑스 갸의 노래를 튼다. <오늘 밤 난 잠들 수 없네 ce soir je ne dors pas>는 감미롭게 차 안에 울려 퍼진다. 그러면서 영민이 덧붙인다. 작곡가 미셸 베르제를 만나 음악적으로 한껏 성숙했던 프랑스 갸의 이야기를.

그렇게 첫날 둘은 에펠탑과 몽마르트르 언덕을 돌아보는 걸로 여정을 마무리한다. 몽마르트르에서 간단하게 요기를 하고 지은이 숙소는? 하고 묻자, 괜찮다면 내 스튜디오에서 자도 된다 면서 그가 짤막하게 대답한다. 지은이 원한 유스호스텔은 이미 만원이어서 잡을 수 없었다며 아니면 비싼 곳을 잡아야 하는데 그러면 괜한 낭비라고 했다. 스튜디오는 한국으로 치면 원룸 정도의 개념이라고 알고 있던 터라 지은은 조금 망설였지만, 따로 방 값은 안 받겠다며 그가 씩 웃는다. 전, 소파에서 자면 돼요.

엘리베이터에서 만난 기수가 저녁에 시간을 꼭 비워놓으라고 한다. 왜? 지은이 궁금해하는 표정을 짓지만, 그는 웃기만 한다. 둘의 회사가 같은 건물에 있어 그야말로 오다가다 마주치는 이웃사촌이 되었고 그러다 밥을 한 두번 같이 먹은 게 인연이 되었고 어느 날인가는 서로의 전화번호를 교환하면서 둘은 그렇고 그런 썸이라는 걸 타기 시작했다. 그러면서도 지은은 밤이면 멀리 파리에서 날아오는 영민의 메일을 열어 그와 이야기했다. 시차를 막론하고 둘은 어느 때고 전화를 하고 문자를 보내고 메일을 주고받고 했다. 근데 하나가 빠졌어. 그녀는 늘 이게 맘에 걸렸다. 섹스.

퇴근 후 레스토랑에 마주 앉은 기수가 지은에게 손을 달라고 한다. 아직 딱히 스킨십이 없는 사이였기에 지은은 망설이다 오른손을 그에게 내준다. 그러자, 기수는 준비해온 커플링을 안주머니에서 꺼내 지은의 손에 끼워 주려 한다. 순간 지은이 멈칫하자, 우리 이제 썸 끝내고 연애하자며 기수가 씩 웃는다.

둘은 대학도 비슷한 곳에서 다녔고 나이도 엇비슷했다. 딱히 걸리적거릴 게 없었다.

그날 기수가 끼워준 반지를 보며 지은은 밤새 잠을 이루지 못한다. 그러다 이메일 알람이 들려와 영민의 메일을 열어본다. 그는 잠시 남불 여행을 떠난다고 썼다. 그러면서 프로방스를 아직 못 가봤다며 기대가 크다는 이야기를 한다.

그 무엇이 그를 낯선 땅에 그렇게 묶어놓고 있는 걸까, 지은은 궁금해진다. 이곳의 무엇과 그는 그리도 안 맞는다는 걸까, 하면서도 잘 다녀오라는 답메일을 보내고 지은은 물끄러미 기수의 반지를 보다 빼고 잠이 든다.

어? 반지 어딨어?라며 다음날 엘리베이터에서 마주친 기수가 반지 확인부터 한다. 세수하느라 잠깐 빼놨다고 하자, 그래? 하더니 자기 손가락에 끼워진 똑같은 반지를 보여 준다.

이러다 이 남자와 결혼이란 걸 하게 되는 걸까, 지은은 그런 생각을 하며 구내식당에서 기수와 함께 점심을 먹었다. 이번 주말에 우리 여행갈까? 기수가 잔뜩 기대에 부풀어 물어온다. 그러자 지은은 영민이 떠 오른다.

영민의 스튜디오에서 나흘을 보내고 파리를 떠나던 날, 영민은 공항에서 처음으로 그녀를 포근히 안아주었다. 계속 연락하자며. 그리고는 1년째 둘은 이른바 롱디 연애라는 걸 하고 있다. 그는 일기를 쓰듯 매일 매일을 메일이나 문자에 적어 보내고 지은 역시 그렇게 했다. 둘 사이엔 분명 연애감정이 솟아났고 누가 물어오면 애인 있다고 답을 해야 하는 처지였다. 그런데 빠진 게 있어....영민도 그 생각을 할까? 섹스.

그 주말, 기수는 신 새벽에 차를 몰고 지은의 오피스텔로 달려왔다. 약속한 시간까지 아직 여유가 있어 지은은 아직 세수도 안한 상태였다. 그녀는 서둘러 눈곱부터 떼며 아침은?하고 물었다. 그러게. 아침 좀 줘,라며 기수는 마치 오랜 연인처럼 군다. 그렇게 둘은 간단히 토스트로 아침을 때우고 양평으로 향했다. 오늘은 일단 가까운 데 부터,라며 운전하는 기수가 씩 웃어 보인다. 그 순간 지은에겐 파리에서 그렇게 운전하던 영민의 얼굴이 오버랩 된다. 순간 지은은 고개를 흔들며 그의 생각을 떨쳐 내려 한다.

양평을 다녀온 그날 밤 기수는 지은의 오피스텔 앞에 차를 대곤 잠시 머뭇거리다 그녀에게 키스를 한다. 당황한 지은이 그를 밀어내자, 너무 빠른가? 하며 그가 민망해 한다. 그러나 그 순간 기수가 남자로 다가옴을 그녀는 부인할 수 없었다. 그리고는 그를 배웅한 뒤 그녀는 돌아서며 결심했다. 영민을 정리하기로.

영민은 남불에서 보는 지중해가 너무 이쁘다고 메일에 써보냈다. 그의 프랑스 예찬을 한참 읽다 지은은 작심한 듯 쓰기 시작했다. 남자가 생겼다고...그러나 끝내는 다 지워버리고 노답인 채로 메일 창을 닫는다..

그렇게 영민에게 답을 보내지 못하는 날이 하루 이틀 늘어갈수록 지은은 마음까지 멀어진다고 생각한다. 그럴수록 기수의 대시는 점점 더 대담해지고 둘 사이엔 결국 결혼 이야기까지 나왔다. 그리고는 철 지난 바다를 보겠다며 강릉에 간 날 둘은 처음으로 같이 잤다. 기수는 뭐야 처음이잖아,라며 지은을 놀리기까지 하였다. 지은에게 섹스가 물론 처음은 아니었지만 기수는 그렇게 믿고 싶어 하는 눈치라 지은은 더 이상 토를 달지 않았다. 그리고는 서울에 올라와 더 이상 끌 수 없다는 생각에 지은은 영민에게 오랜만에 답 메일을 보냈다. 남자가 생겼다고...그러고 나자 한동안 그에게선 더 이상 소식이 없다. 물론 전화도 없다. 다 끝났구나,지은은 생각하고 기수의 해남행을 선뜻 받아들인다. 기수의 본가가 있는 그 해남에.

해남에 기수의 양친이 모두 계신다고 했다. 이른바 결혼 전 인사라고 생각한 지은은 백화점에서 신경써서 옷을 준비하고 한껏 공들여 화장을 했다. 그렇게 달라진 지은을 보며 기수는 마냥 좋아했고 둘은 번갈아 운전을 하며 해남으로 향했다.

더 이상 지은 안에 파리의 연인 따위는 없었다. 아니 그녀는 그렇게 믿었다. 그렇게 기수의 부모에게 인사를 하고 그 집에서 하루를 묵은 뒤 해남 일대를 돌고 둘은 다 저녁이 돼서야 서울로 올라왔다. 기수가 말한다. 서울 외곽에 작은 아파트 하나를 분양받게 됐다며 으스댄다. 둘이 같이 살 집 이야기를 듣자 지은은 이제 빼도 박도 못하게 되었다는 생각이 든다.

그리고는 그날 밤 지은은 오랜만에 영민의 문자를 받는다. 지은은 자신이 기수와 결혼할 것 같으며 부모님까지 뵙고 왔다고 솔직하게 적는다. 영민은 자기가 멀리 있어 결국 널 놓친다고 했다. 그렇게 급박한 문자가 몇 차례 오고가다 끝내 영민이 잘 살라며 문자를 끝낸다. 그날 밤 지은은 파리의 꿈을 꾸었다.

기수와의 결혼 일정은 빠르게 진행되고 기수는 힘들면 결혼하고 집에만 있으라는 말도 한다. 지은은 경단녀는 되기 싫었지만 애 낳고 키우는 동안만이라도 쉬고 싶다는 생각에 팀장에게 사직 의사를 밝힌다. 팀장은 지난번 파리행 휴가 때 부터 지은을 못마땅하게 여긴 터라 애써 붙드는 시늉을 하지 않고 되레 축하한다는 말을 했다.

이제 회사문제도 마무리되었고 오피스텔 주인에게 집을 빼겠다는 이야기도 해놨고 할 건 다 했다는 생각이 든다. 그러자 지은은 홀가분하면서도 무언가 조금 성급했다는 생각이 든다. 하지만 이제 와서 무를 수도 없음을 알기에 기수가 하자는 대로 따르기로 한다. 기수와는 서로의 오피스텔을 오가며 같이 밥을 먹고 같이 잠을 자는 날이 점점 더 늘어났다. 기수가 어느 날, 섹스가 끝난 뒤 숨을 고르며 말한다. 처음 널 본 순간부터 안고 싶었다고.

지은은 그 말을 듣고 영민의 속내가 궁금해졌다. 그도 나를 안고 싶었을까...남자 여자 사이에 섹스 없는 관계가 가능할까,라고.

기수와 드레스를 보러 가서도 그녀는 내내 그 고민을 한다. 기수가 그녀의 웨딩 드레스입 차림에 감탄할 때도 그녀는 영민의 마음이 궁금했다. 그는 왜 나를 안지 않은 걸까...

기수가 분양받았다는 서울 외곽 아파트는 이제 거의 완공 단계에 이르렀다. 11층 정남향이라며 기수는 우쭐댄다. 그런 기수를 보며 이젠 이 남자를 버릴 수 없다는 생각을 지은은 한다.

그때 전화벨이 울렸다. 낯선 번호가 찍혀 있다. 무슨 전화야?하며 기수가 궁금해한다. 지은은 글쎄, 라며 ,여보세요, 응답한다.

영민이 인천공항이라며 전화를 걸어왔다. 렌트한 전화기라며. 널 만나러 왔다고. 그 말을 듣는 순간 지은은 두 다리에 힘이 빠져 급히 한 손으로 벽을 짚는다. 아무 말도 나오지 않았다.

영민은 지은의 오피스텔로 가겠다며 예전에 말한 합정동이 맞냐고 다시 물었다. 왜...라고 지은이 작게 묻자 옆에서 내내 수상히 여긴 기수의 얼굴이 굳어진다.

수화기 너머에서 영민은 계속 채근한다. 약속장소를 잡자고. 그 순간 기수가 지은의 전화기를 낚아챈다. 지은이 다시 가져오려 하자 기수는 아예 바닥에 내동댕이친다. 무슨 짓이야? 지은이 전화를 주우며 추궁한다. 어떤 놈이야, 너 남자 있었어?기수의 목소리는 점점 더 험악해진다. 그 순간 지은은 깨닫는다. 육체가 다가 아니란 걸...그리고는 작심한 듯 말한다.

함부로 말하지마. 내가 사랑하는 사람이야.

그리고 그녀는 기수를 놔두고 공사 중인 아파트 단지를 빠져나와 다가오는 빈 택시에 올라탄다. 뒤늦게 기수가 쫓아왔지만 그녀를 태운 택시는 이미 멀어졌다.

널 안으러 왔어, 영민이 그녀를 포옹하며 말한다.

<경멸>

형수가 퇴근해서 꺼낸 첫마디가 보증금 이야기였다. 낮에 집주인 전화를 받았다며 요즘 시세도 있고 하니 1억을 올려달라고 했다고 한다. 예림은 몇백, 몇천도 아닌 1억이란 말에 입이 떡 벌어진다.

“뭐라고 할 수도 없어.. 요즘 이쪽 시세가 다 그렇더라구”
“어디서 1억을....자기 대출도 꽉 찼잖아”
형수는 넥타이를 풀어 아무렇게나 던진다. 세상 눈먼 돈은 다 어디 간 거야, 하면서 욕실로 들어간다.

형수와 예림이 동거를 하면서 외곽 원룸에 자리잡은 지도 벌써 2년이 돼갔다. 예림은 내심 결혼을 원했지만, 그게 뭐 중요해, 나중에 하면 되지,라는 형수를 더 설득하다간 싸움으로 번질 거 같아 그의 말을 따르기로 했다. 혼인신고라도 할까? 예림이 어느 날 아침을 먹다가 문득 얘기하자 형수는 , 뭐가 급해서,라며 그 역시 묵살했다. 이 남자가 나와 애 낳고 살 마음은 있는 건가, 예림은 의심이 갔다. 그렇게 단순동거 기간만 벌써 2년이 되었다. 그동안 부동산 가격이 널을 뛰었다는 것쯤은 알고 있었지만 이 정도일 줄은 몰랐다.

그렇다고 양가에 손 벌릴 형편도 안되었다. 형수네는 동네 과일가게를 하면서 근근이 생활했고 예림네는 모친 혼자서 문구점을 하고 있던 터라 딱히 돈 나올 여지가 없었다.

"어떡하지?" 예림이 저녁을 차리며 한숨을 내쉰다. 아직 마르지 않은 머리 물기를 털며 형수가 말한다. 복권이라도 살까?

"지금 농담이 나와?" 예림은 눈을 흘긴다.

예림은 다음날 마지막 피아노 레슨을 끝내고 원장실을 찾는다. 이 피아노 학원에서만 5년째 일하고 있는터라 부탁하면 들어줄지 모른다는 희망을 안고.

"가불? 얼마나?" 원장은 마뜩치 않다는 표정을 짓는다. 그런 원장의 반응에 예림은 말문이 막혔다. 그래서, 그냥 1년치만...하자, 그렇게 많이? 라고 한다.

그래 봐야 2000이 조금 넘는 돈이지만, 여기저기서 조금씩 융통을 해보자는 심경이었다.

“그건 좀 어렵고 6개월 치는 어때?” 원장은 여전히 못마땅한 얼굴이다. “그럼 그거라도 부탁드려요” 하자 원장은 그 자리에서 6개월 치 예림의 급여를 이체해준다. 그렇게 1000이 조금 넘는 돈은 마련됐지만 나머지 9000은 어디서 구하나, 하며 학원을 나서는데, 형수의 전화가 걸려온다. 동창회가 잡혀 조금 늦는다고 .

그날, 자정이 다 돼서야 형수는 술이 불콰하게 올라 집에 왔다. 뭐야, 잔뜩 먹었잖아, 예림이 타박하자, 먼저 자라고 했잖아,라며 그는 그녀를 안으려고 한다. 술 냄새, 하며 그녀가 그를 밀쳐내자, 치, 하고는 옷도 다 벗지 않은 채로 침대에 기어든다. 씻구자, 예림이 형수의 웃옷을 벗기는데 웬 명함이 툭 떨어진다. 이거, 하자, 아, 오늘 받은 거....하면서 명함 주인 진규의 이야기를 꺼낸다.

둘은 고교 3년 동안 내내 같은 반이었고 둘 다 농

구부였다고 했다. 그 자식 집이 잘살아, 하며 괜히 형수가 으스댄다. 그게 뭐,라고 예림이 뵤루퉁해 하자, 대대로 요식업을 해왔다며 궁금해하지도 않는 예림에게 진규의 사진을 보여 준다.

모임에서 찍은 거 같다. 진규라는 형수의 동창은 이미 머리가 벗겨지고 있었다. 늙었다, 예림이 흉을 보자, 야, 우리 나이에 나같이 자기관리 잘하는 사람 없어. 행복한 줄 알어,라며 그가 예림을 다시 안으려 한다. 땀 냄새, 술 냄새 난단 말야,하며 예림은 그를 강제로 욕실로 떠다 민다.

“진규한테 얘기좀 해볼까?”

은행에서 퇴짜를 맞고 온 날 형수가 불쑥 말을 꺼낸다.

“누구, 자기 동창?”

“응...”하고 그는 다시 골똘히 생각에 잠긴다.

“이상하게 생각하지 않을까? 오랜만에 만났는데 돈 얘기 꺼내면?”

“그치 ?”하고 형수는 포기하는 눈치다.

예림은 며칠 자기가 생각해 온 걸 이야기한다. 우리 이참에 아예 서울을 벗어나는 게 어때,하고. 지금도 너무 외곽이라 서울이라 하기 뭐한 곳이지만 아예 서울을 벗어나는 것과는 또 다른 이야기라고 생각하는지 형수는 딱 잘라 안돼,라고 반대했다. 힘들어도 어떻게든 서울에 자리 잡아야지 한번 나가면 돌아오기 힘들다는 게 그의 생각인 듯하다...

“처음 뵙겠습니다.”

형수와 나란히 앉은 진규는 이미 배가 나오기 시작했다. 형수와 진규는 동창회 이후 자주 만나 술을 마시는 것으로 예림은 알고 있다.

“미인이십니다 제수씨” 하며 진규가 조금은 느끼한 미소를 지어 보인다. 그리고는 셋이 밥을 먹는 내내 틈만 나면 예림에 대해 물었다. 고향이며 출신대학, 지금 하는 일까지.....

“야, 짜샤. 남의 마누라 얘기 뭐가 그렇게 궁금해?” 형수가 면박을 주자, “나도 제수씨 같은 여친 있음 좋을 거 같아서”라며 그가 히죽거린다.

예림은 이해가 안 간다. 좀 겉늙은 느낌은 있지만 그 배경에 여태 장가를 안 갔다는 게.

나중에 집에 돌아와 형수가 말했다. 1년 살고 헤어졌대. 애 없이....아, 그렇구나, 예림은 그제야 상황파악이 된다. 누구 없어? 하고 형수가 묻는다. 누구? 여자? 글쎄....하던 예림은 진규처럼 짧은 결혼생활 끝에 홀로 된 대학 동창 진혜가 떠올랐다. 진혜 이야기를 하자 형수는 ,딱 좋네, 한다.

그렇게 해서 일주일 뒤, 예림은 진혜를 진규에게 소개해 주었다. 진혜가 은행원이라고 하자 진규는 헤벌쭉 좋아한다. 그 표정을 형수는 유심히 바라보았다.

"잘 어울리지?" 돌아오는 길에 차 안에서 예림이 형수에게 묻는다. 그러자, "글쎄"하며 형수가 애매하게 대답한다. 잘되면 좋을텐데...라며 그가 덧붙이는 게 조금은 어색하다고 예림은 생각한다. 그날 밤 진혜로부터 전화가 와서 둘이 다시 만나기로 했다는 이야기를 예림은 듣게 된다. 잘됐대, 라고 형수에게 말하자, 그래? 하고는 고개를 갸웃한다. 뭐야 이 반응은? 예림이 묻자 형수는 피곤하다며 답을 피한다.

“근데 우리 남은 9000은 어디서 구하지?” 예림이 형수 옆에 누우며 말하자 “어떻게 되겠지”라고 그가 답한다. 그야말로 복권이라도 당첨이 돼야 해결될 사안이라고 그녀는 체념한다.

“둘이 자주 만나?” 보름 후 예림은 진혜에게 전화로 묻는다. 그러자, “우리 안 만나”라고 그녀가 대답한다. 지난번 에프터 받았다며? 했더니, 그렇게 한 번 더 만나고 더 이상은 연락이 없다고 한다. 그렇게 만난 날, 진규는 내내 예림의 이야기만 했다고 진혜가 덧붙인다.

내 얘기? 친구 여자란 걸 아는데 왜?라고 되묻고 싶어진다. 그러자 진규의 느끼하던 미소가 떠오르며 속이 안 좋다. 형수가 옆에 있는데도 빤히 자기를 바라보며 이것저것 캐묻던 생각이 난다. 그렇게 진혜와 통화를 끝내고 나니 예림은 궁금하다. 형수도 알고 있을까?

그날 저녁 퇴근한 형수에게 예림이 언질을 준다. 진규라는 친구 멀리하라고. 그러자, 그가 발끈해서, 왜? 하고 내 뱉는다.. 그냥, 느낌이 안 좋아,라고만 예림은 답한다. 어떻게 그가 자기에게 관심을 갖고 있다는 얘기를 할 수 있단 말인가. 그러나 형수는 그 이후로도 꾸준히 진규를 만나는 눈치다. 그 사이에 집주인은 두 번이나 전화를 걸어와 어떻게 할 거냐고 닦달한다. 조금만요,하며 예림은 애걸하듯 말미를 달라고 한다.

"이번 주말 비워둬"라며 출근하던 형수가 말한다. 왜?하고 묻자, 비워둬, 라고만 한다. 중요한 모임이라도 있나 보다 싶어 예림은 진혜가 주말에 보자는 걸 그 다음 주말로 미룬다

그리고는 그 주 토요일 점심이 되자 형수는 예림을 데리고 여의도로 향한다. 어디 가는데? 라고 물어도 형수는 답을 안 한다. 뭐야? 어디 가는데? 다시 그

녀가 묻자 진규를 만나기로 했다고 대답한다. 나 그 사람 싫어,라고 하지만 진규는 들은 체도 않는다.

예림을 본 진규는 긴장하는 기색이 역력하다. 그런 진규의 속내를 알기에 예림은 더더욱 불편하기만 하다. 그렇게 자리 잡고 앉자 진규는 자기회사가 새로 프랜차이징한 식당이라며 자랑을 늘어놓는다. 그리고는 형수와 예림에겐 묻지도 않고 특식 세트를 주문한다. 메뉴판을 힐끔 본 예림은 거기 적힌 가격표에 적잖이 놀란다. 그걸 눈치챈 형수가 표정 관리하라는 눈치를 준다.

진규는 묻지도 않은 진혜 이야기를 꺼낸다. 괜찮은 사람인데 자기와는 맞지 않는 거 같다고. 그러자 형수가 거든다. 사람 인연은 모르는 거니 더 만나보라고. 그러자, 됐어, 하며 진규가 손사래를 친다. 그러더니 지난번처럼 빤히 예림을 쳐다본다. 야, 내 마누라 닳아, 형수가 면박을 주자, 어디 예림 씨랑 똑같이 생긴 사람 없어요? 라며 너스레를 떤다. 예림은 빨리 이 자릴 벗어나고 싶은 마음뿐이다.

그러더니 진규는 궁금해하지도 않는 자기 사업 이야기를 줄창 해대다 언제 여행이라도 같이 가자고 한다. 그리고는 예림의 반응을 살핀다. 더 이상 그의 이글거리는 눈빛을 참기 어려웠던 예림은 피곤하다는 핑계를 대고 자리에서 일어난다. 그러자 형수도 피곤했는지, 나중에 또 봐,하며 같이 일어난다. 진규는 못내 아쉽다는 표정을 지으며 주차장까지 배웅한다. 야, 너 차가 이게 뭐야, 하며 형수의 차를 보고 진규가 혀를 찬다. 차 바꿔 주랴? 하는 진규의 말에 예림은 먹은 게 다 올라 올 것 같다.

그렇게 집에 돌아온 형수가 새삼 확인한다. 우리 9000 필요한 거지? 라고. 다 아는 걸 뭘 새삼 묻는가 싶어 예림은 대답 대신 진규를 다시 보고 싶지 않다고 이야기한다. 그러나 형수는 그 말을 콧등으로도 듣지 않는 눈치다.

그러더니 며칠 후, 퇴근 무렵이 다 돼서 형수는

예림에게 회사 근처로 나오라는 전화를 한다. 왜? 했더니 저녁 먹자고 한다. 단둘이 하는 외식이 한참만인지라 서둘러 레슨을 끝내고 그녀는 택시를 잡아탄다. 그렇게 도착한 형수 회사 근처 레스토랑엔 진규와 형수가 먼저 나와 있다. 진규를 본 예림이 입구에서 머뭇거리자 형수가 와서 팔을 끈다. 뭐해, 안 오고..

그렇게 다시 진규를 본 예림은 마지못해 눈인사를 건넨다. 그날도 주문은 진규가 독단적으로 한다. 오늘이 마지막이라고 그녀는 다짐한다. 그렇게 주문한 세트메뉴가 나오고 디저트가 나올 무렵, 형수가 잔업이 남았다며 자리에서 일어난다. 그럼 나도 가,하고 예림이 따라 일어나자, 넌 좀 더 있어. 하고 형수는 그녀를 강제로 앉힌다. 왜?하고 쳐다보지만 형수는 진규와 악수를 나누더니 바삐 레스토랑을 나간다. 예림은 지금 이게 무슨 상황인가 싶다...그러고 있는데 진규가 예림 옆으로 자리를 옮겨 앉는다. 예림은 그제야 상황을 파악한다.

그날 밤 늦게 예림의 귀가와 함께 형수에게 돈 1억이 입금된다. 9000 필요한 거 아니었어? 예림이 형수를 쏘아보며 내뱉자, 차도 좀 바꿀까 해서,라며 그가 싱글벙글한다. 있는대로 지친 예림은 어서 빨리 잠들고 싶을 뿐이다. 그리고는 옷도 벗지 않은 채 침대에 몸을 던진다. 그러자 형수가 말한다. 씻고 자야지.

<처음 그날처럼>

승하에게선 일주일째 답이 없다. 아무리 늦어도 다음날이면 답 문자를 보내오던 그여서 윤주는 일이 손에 잡히지 않는다. 그는 어디 있는 걸까, 분명 문자를 확인해놓고 왜 답을 않는 걸까...그러고 있는데 구성작가 미경이 녹화일이 바뀌었다며 연락해온다. 매주 수요일에 녹화되던 연애심리 관련 예능이 이번 주부터 금요일 오전으로 바뀌었다고.

승하를 처음 본건 그가 광고모델을 하던 시기였다. 메인모델인 K의 인터뷰를 따러 갔지만 K는 미리 잡힌 약속임에도 5분만에 다음 스케줄이 있다며 자리를 떴고 그렇게 푸대접을 받은 윤주가 어이없어하자 저만치서 보고 있던 승하가 자판기 커피를 한잔 뽑아 건네면서, 힘드시겠어요 하며 웃던 게 둘의 처음 만남이었다.

그 순간 윤주는 이미 승하가 머지않아 메인급으로 부상할 걸 예견했고 K대신 승하를 인터뷰해 그걸 기사로 썼다. 데스크에선 야단을 쳤지만 윤주는 기어코 잡지에 승하를 내보냈고 그 여파는 상상 이상이었다.

윤주에게 승하의 연락처를 묻는 방송관계자들의 전화가 계속됐고 얼마 지나지 않아 승하는 저녁 일일극에서 주연급 조역을 따내 인기몰이에 들어갔다. 그렇게 되자 승하는 윤주에게 자주 연락을 해 어린 나이에 연예계 생활을 하는 데 대한 조언을 구하면서 어떤 날은 너무 힘들다며 고충을 늘어놓기도 했다. 그때마다 윤주는 이번만 넘기면 된다,면서 격려하고 그에게 힘을 얹었고 수시로 기사를 내주었다.

“제가 밥 한 번 살게요”

어느 날 매니저가 아닌 승하가 직접 전화를 걸어와 둘은 처음 데이트를 했다. 인터뷰를 핑계로 자주 보긴 했지만 사적인 만남은 처음이나 다름없었다. 그런 사적인 자리에서 승하는 털털하고 소박했다.

“결혼 안 하셨죠?” 승하가 뜬금없이 물어와 윤주는 잠깐 당황하다 “갔다왔어요”했다.

윤주는 CC였던 민석과 1년도 안 되는 짧은 결혼생활을 한끝에 결혼이란 제도에 피곤함을 느껴 먼저 이혼을 요구했고 민석은 까탈스럽게 굴지 않고 그에 응했다. 그 후 민석은 직장 동료와 곧바로 재혼했고 지금 둘은 서로 친구처럼 지내는 사이가 돼 있다. 가까운 친구들조차 윤주가 자존심 때문에 그런 척 한다고 하지만 윤주는 실제로 민석에게 큰 악감정 같은 게 없었고 민석도 마찬가지라고 생각했다.

한번 갔다 왔다는 말에 승하는, 그렇게 안 보여요, 하며 놀란다. 무슨 뜻이예요? 하자, 나이가...한다. 윤주는 쿡 웃음이 나왔고 내가 그쪽보다 다섯 살 많아요, 하자 아, 누나구나,하며 승하가 당황했다. 이후로 승하는 누나누나 하며 따랐고 그러면 윤주는 너 자꾸 그럴래? 하며 면박을 주곤 했다.

승하는 계속 잘 풀렸고 4부작 특집극에서 주연을 맡더니 이내 미니시리즈 공동주연을 따냈다. 그 소식을 승하는 윤주에게 제일 먼저 알려줘 윤주는 특종을 따낼 수 있었다. 둘의 사이가 연예계에서 퍼지자 윤주에게 여기저기서 방송 출연 섭외가 밀려 들었지만 윤주는 그중 하나인 지금의 연애 심리 프로만 하기로 결정을 내리고 고정 패널로 출연하게 됐다.

그 이야기를 윤주 역시 승하에게 제일 먼저 알리자, 누나 일냈네? 라며 그가 좋아했다.

어쩌다 방송국 복도에서라도 마주치면 둘은 남의 눈 따위는 아랑곳없이 서로 허그를 하며 반겼고, 그러면 곧바로 둘의 기사가 인터넷에 뜨곤 했지만 둘 다 신경 쓰지 않았다.

미니시리즈가 해외 로케가 많아 한 달 이상을 떨어져 있을 때 승하는 밤이면 국제전화를 걸어와 그날 있었던 일을 이야기하며 시차가 안 맞는다. 음식이 안 맞는다면서 투덜댔고 그런 승하의 응석을 윤주는 묵묵히 받아 주었다.

“이거 누나 주려고”하며 해외촬영을 마치고 돌아온 승하가 윤주에게 보석 케이스 하나를 내민다. 윤주가 당황해서 케이스를 열지 못하자, 바보, 하며 승하가 그 안에서 팔찌를 하나 꺼낸다. 그리고는 윤주의 손목에 채워주며, 이제 어디 못가, 누나 내 거...

그랬던 승하가 이렇게 오래 연락을 안 한 적이 없었다는 생각을 하자 윤주는 불안해지기까지 한다. 전화를 해도 문자를 해도 이메일을 보내도 그는 열어만 볼뿐 답이 없다...

대박 조짐을 보이던 미니시리즈는 시청률 3 프로도 안 나와 결국 조기 종영을 했고 그렇게 승하는 짧은 전성기를 지나 하강세에 접어들었다. 그전까지 쇄도하던 러브콜도 하나둘씩 줄어들었다.

“누나, 나 이제 못할거 같아”

승하가 어느 날 어깨를 들썩이며 윤주 앞에서 흐느꼈다.

“겨우 하나 망했다고 이럼 어떡해”

윤주가 그를 다독였지만 승하는 은퇴까지 언급했다.

“니가 뭘 했다고 은퇴 씩이나?” 윤주가 비아냥대자 승하가 그녀를 뚫어지게 쳐다보았다.

그렇지, 나 이거 그만두면 누나도 못 보겠네....그가 말했다. 그날 밤 둘은 윤주의 오피스텔에서 함께 밤을 보냈다. 다음날 새벽, 그를 배웅하던 윤주에게, 누나, 나 한 번 더 해보려구. 했던 승하.

하지만 승하의 재기는 생각만큼 쉽지 않았고 게다가 여배우 G와의 스캔들로 그의 청춘스타 이미지는 큰 타격을 입었다. 그 전말을 알기에 윤주는 애가 탔지만 내놓고 승하를 두둔하는 기사를 낼 수도 없었다. 승하와 G는 거의 일면식도 없는 사이였다. 어쩌다 소속사 단체 회식에서 인사를 나눈 정도였는데 G가 당시 출연하던 드라마에 광고를 대던 재벌 3세와 연애를 하기 시작했고 그가 유부남이었던 게 문제가 돼 결국은 희생양이 필요한 상황이 됐고 그게 승하였다. 소속사 대표의 간청을 물리칠 수 없었고 그렇게 해서 승하는 전혀 마음에도 없는 G와 연애 스캔들을 인정하는 기사까지 내야 했고 윤주도 그렇게 써야 했다. 그 기사를 낸 날 밤, 승하가 오피스텔로 찾아와 한참을 울었다. 그런 승하에게 윤주는 그래도 참아야 한다고 했다.

그렇게 이미지 타격을 입은 승하는 이후로 줄곧 내리막길을 걸었고 급기야 케이블 2부 특집극에서조차 오디션을 요구했다. 윤주는 그걸 잡으라고 승하의 등을 떠밀고 승하는 이미 유명세를 탄 뒤에 다시 신인으로 돌아가 오디션을 보는 굴욕을 감내했지만 캐스팅 되지 않았다. 그러고 나자 승하 쪽에서 먼저 연락을 끊었다...

혹시나 하는 마음에 승하 부모님이 운영한다는 춘천 막국숫집을 찾은 윤주는 아니나 다를까 그곳에서 서빙 중인 승하를 마주하게 된다.

"너 여기서 뭐해" 하자 승하는 그저 씩 웃기만 했다. 우리 집 맛있어, 하며 승하가 직접 국수 한 그릇을 말아다 주었다.

"너 이러고 살래 진짜?"하자, 이러면 누나랑도 끝인 거지? 승하가 애써 웃어 보이며, 누나 우리 그만해, 했다. 그날 소양댐까지 가서 그를 설득했지만 승하는 은퇴기사를 써달라고 부탁할 뿐이었다. 그렇게 둘은 처음 헤어졌지만 윤주는 그의 은퇴기사를 쓰지 않았다. 아는 기자들이 그녀에게 아무리 승하에 대해 물어 와도 윤주는 묵묵부답으로 일관했다.

"니 사랑이 참 불쌍하다..."

전남편 민석이 윤주와 저녁을 함께 하며 던진 말이다...

"내가? 내가 뭐가 불쌍해?"하자, 좀 쉬운 사랑을 해,라고 그가 조언했다.

이렇게 끝낼 수 없다고 생각한 윤주는 고심 끝에 다시 승하를 찾았고 "여자가 자존심도 없이"라며 승하는 윤주를 품에 꼭 안아 주었다. .그날 윤주의 차를 타고 승하는 춘천을 떠나 다시 서울로 왔고 윤주는 평소 친분 있던 연극 감독을 소개해 주었다. 그렇게 승하는 조용히, 그러나 소신 있게 다시 연기를 시작했고 윤주는 열심히 그의 기사를 내주었다. 그러다 미니시리즈 조연 제의가 들어왔고 그날 승하는 윤주에게 청혼했다. 이제 누나 없는 생은 꿈꿀 수가 없다며.

승하의 부모는 한번 다녀왔다는 연상녀 윤주를 달

가워하지 않았지만 승하는 고집을 꺾지 않았다. 둘의 결혼은 미니시리즈 종방에서 발표하기로 얘기가 되었다. 비록 조연이긴 했지만 승하의 존재감은 그야말로 대단했고 다시 팬덤이 형성되고 그의 sns는 열혈팬으로 넘쳐났다. 그럴수록 승하는 윤주에게 더더욱 의지했고 촬영이 비는 날은 윤주는 데스크 눈치를 보면서 휴가를 내 승하와 함께 짧은 여행을 다녀오곤 했다.

그러다 사고가 났다. 바다 수영 씬에서 승하가 심장마비를 일으킨 것이다. 그 소식을 매니저로부터 전해 들은 윤주는 쓰던 기사를 팽개치고 차를 몰아 대천으로 향했다. 죽지 마, 죽음 안돼...라며 그녀는 울면서 차를 몰았고 그녀가 다급히 병실에 들어섰을 때 승하는 기다리고 있었다는 듯 그녀를 보고 웃었다. 나 어릴 때부터 심장이 나빴어. 라며 눈물을 글썽이는 윤주를 안아주었다.

그렇게 승하의 사고 소식으로 드라마는 자연히 입소문을 타서 중박 정도의 시청률을 내고 종영하고 승하는 다음 드라마 제의까지 받았다. 그러나 왠지 승하는 그다닥 반기는 모습이 아니었다. 승하는 이미 많은 것이 수시로 교체되고 조작되는 방송계에 염증을 느끼고 있었다.

“너 또 은퇴 어쩌구 하는 거 아니지?” 윤주가 걱정돼서 묻자 “나 이거 안 하면 나 안봐?”라고 그가 말했다. 미니시리즈 종영과 함께 결혼 발표를 하려 했던 걸 막은 쪽은 윤주였다. 그때 이미 다음 드라마 제의가 들어 와 있던 터라 승하에게 조금이라도 방해가 되는 건 안 하고 싶었다. 대신 둘만의 언약식을 했고 반지를 나눠 끼었다.

“우리 혼인 신고하자” 승하가 먼저 제의했다. 그 말에 윤주는 “이번 작품까지만 하고”라고 다시 결혼을 연기했다...괜히 그랬다는 생각이 들자 윤주는 시간을 되돌리고 싶다는 생각이 든다...

승하를 찾아 춘천에도 가 봤지만 그의 부모도 그의 행방을 몰랐다. 그리고는 베트남에서, 미국에서 그를 봤다는 sns 글들이 올라와 이런저런 루머를 뿌렸고 윤주의 마음은 답답했다.

"다시 잘 생각해봐"

전 남편 민석이 술잔을 기울이며 이야기한다. 승하와의 결혼을 다시 생각하라고...

그렇게 그를 못 보는 시간이 길어지면서 처음엔 미칠 것 같던 윤주의 마음도 차차 안정을 찾아가고 어떤 날은 한 번도 승하의 생각을 하지 않은 채 지나가기도 했다. 그러다 문득 윤주는 오랜만에 승하의 sns를 찾았다. 그의 예전 사진들이며 기사가 눈에 들어 왔다. 승하는 늘 밝게 웃고 있고 아이처럼 해맑다.

그래, 이렇게 놔주자, 그녀는 생각한다. 그러면서 승하가 어쩌면 자기를 피하고 있는 걸지도 모른다는 생각에 이르자 자신이 짐이 된다는 생각에 그녀는 우울해진다. 그리고는 마지막 메시지를 그에게 보낸다. 넌 잘 될거야, 믿어, 누나촉이야. 믿어도 돼.,라고...

그렇게 메시지를 보낸 뒤 윤주는 밤새 울었다. 그

렇게 두 눈이 퉁퉁 부은 채로 출근하자 다들 쳐다본다. 부은 눈을 가리기 위해 일부러 눈화장을 짙게 했어도 티가 났다... 점심 때 신인 배우 j 와의 인터뷰가 잡혀 미리 관련 자료들을 체크하던 그녀의 눈에 남도 어디선가 승하가 목격되었다는 기사가 떴었다. 친분이 있는 기자라 그녀는 재빨리 그에게 전화를 걸었다. 그러자 자신도 제보를 받고 쓴 기사라고 한다. 남도...남도 어디....하던 그녀는 인터뷰가 잡혀있던 j에게 전화를 걸어 이틀 뒤로 인터뷰를 미뤘다.

데스크는 못마땅해 한소리 하지만 그녀는 개의치 않고 사무실을 뛰쳐나가 차 시동을 건다. 그렇게 그녀는 분명 그가 있을 거라는 확신 속에 남도를 네비게이션에 찍고 달리기 시작한다. 다시 만나 이별을 확정한다 해도 마지막으로 얼굴은 봐야겠다는 생각에...

흐린날의 달리기

발　행 | 2024.4.30
저　자 | 박순영
펴낸이 | 로맹
펴낸곳 | 로맹
출판사등록 | 2023.12.14
주　소 | 서울특별시 성북구 보국문로 30길15
이메일 | jill99@daum.net

ISBN | 979-11-93896-04-4

www.romainpublish.modoo.at